Hiwmor
Y CARDI

CYFRES TI'N JOCAN

hiwmor
Y CARDI

Emyr Llywelyn

yLolfa

Argraffiad cyntaf: 2006

Lluniau: Elwyn Ioan

Rhif Llyfr Rhyngwladol: 0 86243 894 2

Cyhoeddwyd, argraffwyd a rhwymwyd yng Nghymru
gan Y Lolfa Cyf., Talybont, Ceredigion SY24 5AP
e-bost ylolfa@ylolfa.com
gwefan www.ylolfa.com
ffôn (01970) 832 304
ffacs 832 782

CYNNWYS

YSGOL LLANDYSUL GYNT

Fe wnes i fwynhau fy nyddiau ysgol yn Ysgol Ramadeg Llandysul, er mai addysg Seisnig oedd yn yr ysgol. Roedd ambell athro da yno megis Eifion George, Hanes a Dewi Jones, yr athro Saesneg, ond ar y cyfan roedd bwlch mawr rhwng plant Cymraeg y wlad a'u hathrawon.

Roedd yna un athro â'r llysenw Lewis y *Goat*. Fe fyddai Lewis y *Goat* yn sgubo i mewn i'r dosbarth yn ei ŵn du â phapurau wedi'u marcio dan ei fraich. Wedyn fe fyddai'n dechrau eu dosbarthu nhw gan wneud sylwadau am bob un, "Aled Jones 98% – Oxford! Peter Hughes Griffiths 97% – Cambridge!" ac ymlaen felly nes ei fod yn cyrraedd bechgyn y bryniau ar y gwaelod. Ar y gwaelod yn deg roedd yr annwyl Eric Griffiths, Tŷ Hen. Doedd gan Eric ddim diddordeb mewn gwaith ysgol – dim ond mewn barddoni ac adrodd straeon digri. Dyma fe'n stwffio'r papur dan drwyn Eric gan weiddi'n ddig, "Eric Griffiths – *Naught! Naught* bachgen! *Naught!* Beth sy gyda chi i ddweud am hyn?"

Ac meddai Eric, "Mae *naught* yn well na dim, syr!"

§

Roedd yr un athro hefyd yn dysgu Saesneg i ni yn ystod ein tymor cynta' yn yr ysgol. Ar ddiwedd y tymor dyma fe'n dweud (yn Saesneg wrth gwrs), "Rwy am i bob un ohonoch chi sgifennu *essay* i fi dros y gwyliau."

Wel, dyna'i diwedd hi!

Doedd gan fechgyn y wlad ddim syniad beth oedd *essay* heb sôn am sut i ysgrifennu un – achos doedd e ddim wedi esbonio dim – dim ond rhoi'r dasg. Ar ôl y gwyliau dyma fe'n pigo ar un o fechgyn y wlad, y bardd Dafydd Rees Davies o Rydlewis, "Hei, chi fan 'na, ar beth wnaethoch chi sgrifennu'ch *essay*?"

Ac meddai Dai, "Ar bishyn o bapur, syr!"

§

Fe fyddai ambell athro'n pigo ar blentyn er mwyn ei wawdio o flaen y dosbarth. Rwy'n cofio gwers Saesneg a'r athro'n ceisio dysgu 'gwrywaidd' a 'benywaidd' pethe i ni yn Saesneg. Roeddwn i'n eistedd ar bwys Glyndwr o Bentrecwrt. Fe ddewisodd yr athro air anodd i ofyn i Glyndwr achos roedd e'n gwybod nad oedd fawr o ddiddordeb mewn gramadeg Saesneg gyda Glyndwr, na llawer o ddiddordeb mewn dim byd ond ffermio, "Glyndwr Davies, beth yw benywaidd *fox*?"

Doedd dim syniad gyda Glyndwr druan, a dyma fi'n sibrwd wrtho, "V*ixen*."

A dyma Glyndwr, wedi fy nghamglywed, yn ateb, "Ffocsen!"

§

Mae'n siŵr mai un o'r atebion gorau a roddwyd erioed mewn arholiad oedd ateb John Cefen Isa mewn prawf

Hanes. Roedd John yn eistedd yng nghefn y dosbarth – un sedd oddi wrtha i. Roedd yr athro Hanes wedi bod yn ein dysgu ni am frenhinoedd Lloegr ar hyd y canrifoedd ac wedi penderfynu rhoi prawf i ni. Cystal i fi esbonio i chi mai dim ond addurn oedd bag ysgol John Cefen Isa. Roedd e'n ei gario fe nôl a mlaen o'i gartre i'r ysgol – ond doedd e byth yn ei agor! Doedd byth offer ysgol gyda John, dim pensil heb sôn am ddim byd arall. Doedd e ddim yn ysgrifennu dim heblaw bod rhaid iddo fe. Un cwestiwn ar y papur hanes oedd *'Ysgrifennwch gymaint â wyddoch chi am Harri'r Wythfed'.* Roedd John, siŵr o fod, yn teimlo bod yn well iddo ysgrifennu rhywbeth achos fe weles i fe'n ysgrifennu ar y papur ac yn rhoi'r beiro lawr ar y ddesg. Dyma fi'n pwyso draw ac yn darllen beth oedd e wedi'i ysgrifennu.

Ateb John oedd, *"Mae e wedi marw!"*

PLANT

Mae plant yn naturiol greadigol. Pan oeddwn i'n dysgu yn Ysgol Gynradd Ciliau Aeron fe ddywedodd merch fach o'r enw Ann Puw wrtha i, "Rwy'n dysgu piano gyda'r fenyw 'ma chi'n gweld, ac mae gyda hi gath wedi colli un o'i choese. Ac fe ddywedes i wrth y gath, "Whisgit, cer mas yr hen gath drichornel!"

§

Fe fyddwn i'n cael llawer o hwyl yn gosod tasgau sgrifennu i'r plant yn yr ysgolion cynradd. Dyma ddau limrig a luniwyd gan blant cynradd heb unrhyw gymorth o gwbwl gan yr athro:

> Roedd bachgen chwech oed o Chicago
> A daeth llew lan ato a'i larpio,
> Dywedodd ei fam,
> "O pam? pam? pam?"
> Atebodd y llew "Rown i'n starfo!"

> Haf 'leni aeth Guto a finne
> I'r Eidal a Ffrainc ar ein gwylie
> Gofynnon ni'n syn,
> "Oes tŷ bach fan hyn?"
> "Oui! Oui!" "Ie, wi, wi," meddwn ninne.

§

Mae rhegi wedi mynd yn broblem yng Ngheredigion. Yn wir mae rhai teuluoedd yn methu dweud enw heb ddefnyddio rheg Saesneg yn dechrau gyda "ff". Mewn ambell aelwyd mae'n beth cyffredin clywed y teulu adeg pryd bwyd yn siarad fel hyn heb feddwl bod dim o'i le, "Estyn y f**** botel sos coch 'na i fi." Y canlyniad yw bod plant (ac oedolion) yn aml ddim yn sylweddoli eu bod nhw'n rhegi.

Dyma i chi stori wir o ardal Ffostrasol. Roedd crwt bach yn yr ysgol fach yn dod o deulu oedd yn enwog am regi. Pan ddechreuodd e'r ysgol roedd tipyn o broblem am ei fod yn defnyddio'r ansoddair "ff****" drwy'r amser. Un diwrnod roedd y plant eraill wedi rhedeg i ddweud wrth yr athrawes ei fod e'n defnyddio geiriau mawr ar glos yr ysgol, ac roedd e wedi cael ei alw i mewn i stafell y brifathrawes. Fe edrychodd hi'n ffyrnig arno a dweud, "Rwy'n siomedig iawn ynddoch chi. Rwy'n clywed eich bod chi wedi bod yn rhegi ar yr iard."

Ac meddai'r crwt, "Ddwedes i ffyc ôl, Miss!"

§

Roedd dau frawd yn Llanarth, efeilliaid, ac yn dueddol o regi – dim byd cas – dim ond "blydi" hyn a "blydi" llall. Fe ddaeth Prifathro newydd i'r ysgol a oedd yn dipyn o ddisgyblwr. Roedd e'n mynd mas ar y clos amser chwarae yn cadw llygad ar y plant, ac roedd e hyd yn oed yn sefyll wrth ymyl y gogyddes pan oedd hi'n gweini amser cinio. Dyna'r brawd cyntaf yn dod mlaen i gael ei fwyd.

"Beth sy gyda chi heddi?'

"*Chips.*"

"Dim byd arall."

"Na, dim ond *chips*!"

"Man a man i fi gael blydi *chips* te!"

Ar hynny dyma'r Prifathro yn pwyso mlaen ac yn rhoi bonclust iddo. Dyma'r brawd arall yn dod mlaen i gael ei fwyd, a gofynnodd y gogyddes "Beth 'ych chi'n moyn?"

"Unrhyw beth ond blydi *chips*!"

§

Mae rhieni wedi mynd i achwyn a busnesa mwy am addysg eu plant y dyddiau hyn, ac mae ambell athro yn cael bai ar gam. Roedd athro ifanc newydd ddechrau dysgu yn Ysgol Gymraeg Aberystwyth ac fe aeth i helynt yn syth ac yntau'n gwbl ddiniwed. Un diwrnod dyma un o'r rhieni yn gofyn am gael gweld y prifathro. Roedd e am achwyn am Mr Jones gan ei fod wedi rhegi a defnyddio gair drwg yn dechrau gyda "ff" wrth siarad am drip bws yr ysgol gyda'r plant.

Fe alwodd y prifathro Mr Jones i'w stafell a gofyn am esboniad, "Mae'r plentyn wedi dweud wrth ei rieni eich bod chi wedi rhegi a defnyddio gair anweddus wrth sôn am drip yr ysgol."

"Wnes i ddim rhegi," meddai'r athro druan.

"Beth ddywedoch chi wrth y plant am y trip?"

gofynnodd y Prifathro.

"Dwedes i wrth y plant fod trip yr ysgol 'fory a bod yn rhaid i bob un ohonyn nhw ddod â diod a phecyn brechdanau."

§

Dyw plant byth yn broblem – y rhieni yw'r broblem fel arfer. Rhai o'r rhieni gwaetha yw rhieni sy'n maldodi eu plant – dyw eu plentyn bach nhw byth yn gwneud dim byd drwg. Roedd pregethwr mawr tew, cyfforddus yr olwg, yn eistedd mewn bws a chot wlân flewog, ddu amdano. Dyma fam a'i phlentyn yn dod ar y bws ac yn eistedd ar ei bwys e. Roedd lolipop mawr gyda'r crwt ac roedd e'n cael pleser mawr mewn sychu'r lolipop yn y got flewog. Ceisiodd y pregethwr beswch yn uchel i dynnu sylw'r fam at y peth, ac o'r diwedd fe ddywedodd hi, "Peidiwch cariad."

Ond dal i sychu'r lolipop yn y got flewog roedd y crwt.

O'r diwedd fe gynhyrfodd y pregethwr a dweud, "Er mwyn Duw, fenyw, dwedwch wrtho fe am beido sychu'i lolipop yn 'y nghot ore i."

Dyma'r fam yn troi at y crwt ac yn dweud yn dyner, "Peidiwch cariad rhag ofn i chi gael blew ar y lolipop."

§

Amser rhyfel fe anfonwyd llawer o blant o ddinasoedd Lloegr i gefn gwlad Ceredigion i osgoi'r bomio. Roedd un o'r rhain ar ffer yn ardal Llambed – ffer oedd yn gwerthu llaeth ac yn potelu'r llaeth ar gyfer ei ddosbarthu. Un diwrnod fe gerddodd y bachgen bach o Loegr ar draws clos y fferm a chael gafael mewn twr o boteli llaeth gwag. Dyma fe'n gweiddi ar ei ffrindiau, "Hei, dewch 'ma, rwy wedi cael gafel ar nyth buwch!"

PROFIADAU ATHRO

Fel bues i ddwla fe es i'n athro. Athro Bro i ddechrau yn dysgu Cymraeg i fewnfudwyr Saesneg oedd yn dod i gefn gwlad Ceredigion. Wedyn fe fues i'n dysgu Cymraeg yn Ysgol Uwchradd Aberaeron. Yno cefais gydweithio gydag athrawon arbennig oedd yn gwneud eu gorau dros yr iaith – Eifion Gruffydd, Elan Dafis, Jean Jones – cydweithwyr delfrydgar a diflino; Nerys Llewelyn Davies yn fy ysbrydoli'n gyson gyda'i brwdfrydedd; ac Elen Llwyd Evans garedig a'i gofal mamol amdanaf i, y dyn bach anniben ac anhrefnus.

Y Prifathro oedd David Thomas, dyn cadarn, y gellid dweud amdano: "Ei gwbl oedd addysg ei blant". Cofiaf ef un bore, yn y cyfarfod boreol cyn i'r ysgol ddechrau, yn dweud wrth yr athrawon fod rheolau newydd ynglŷn â disgyblu plant. Rhybuddiodd bob un ohonon ni rhag cyffwrdd mewn plentyn wrth ei ddisgyblu. Meddai David Thomas yn bendant, "Fedra i ddim cefnogi'r un athro fydd yn rhoi ei law ar blentyn!"

Fe aethon ni mas i'r coridor a gwasgaru i'n dosbarthiadau, ond wrth i David Thomas ddod mas fe welodd grwt heb dei ysgol. Dyma fe'n cydio ynddo wrth goler ei got a'i ddal yn erbyn wal, "Lle mae dy dei di?"

§

Rwy'n ddiolchgar iawn i David Thomas am ei
gefnogaeth. Fe fyddai bob amser yn gwneud ei orau i
amddiffyn ei athrawon rhag cam. Ond, o flwyddyn i
flwyddyn roedd mwy a mwy o broblemau disgyblaeth
ac fe wnes i ymddeol yn gynnar. Erbyn y diwedd roedd
hyd yn oed wynebu dosbarth o blant y wlad bywiog a
drygionus yn mynd yn fwyfwy anodd.

Y boreau oedd waethaf. Un tro a finnau wedi
treulio'r noson cynt yn gwneud rhywbeth heblaw
marcio llyfrau dyma fi'n codi gyda phen tost.
Gwisgwyd y dillad a rhoi'r llyfrau heb eu marcio
yn y bag, bwyta'r brecwast ac i mewn i'r car a
phwyntio'i drwyn am Aberaeron – y cyfan mewn rhyw
freuddwyd niwlog. Wrth yrru dros Fanc Siôn Cwilt fe
ddigwyddais edrych lawr ar fy nhraed – sliperi! Roedd
pethe'n dechrau llithro!

§

Roedd hi'n frwydr egnïo'r batri mewnol ddydd ar ôl
dydd a wynebu tri deg o blant bywiog am ddiwrnod
cyfan, ond un diwrnod fe wnes i ymdrech arbennig
i roi gwers ysbrydoledig a hynny am naw o'r gloch y
bore! Fe ddewisais i gerdd Eifion Wyn 'Cwm Pennant'.
"Yng nghesail y moelydd unig…"
Fe ddarllenes i'r gerdd ac esbonio'r geiriau
anghyfarwydd iddyn nhw. Dyma un ferch fach â'i llaw
lan yn syth, a dyma fi'n dweud wrth fy hunan 'Dyna
athro da ydw i – mae'r plant yn ymateb yn frwd i'r wers'.

Dyma fi'n dweud yn eiddgar, "Ie, merch i, ie?"

Ac meddai'r ferch, "Syr, mae'ch pwlofer chi tu ôl tu fla'n!"

§

Un bore gyda'r cloc larwm heb fynd bant a finnau ymhell ar ei hôl hi, dyma fi'n gwisgo'n frysiog, mynd heb frecwast na phaned o de hyd yn oed, a rhuthro i'r ysgol ac i mewn i'r dosbarth yn hwyr. O'r funud dechreuodd y wers roedd dwy ferch fach yn eistedd yn y sedd flaen yn giglan. Roedden nhw fel arfer yn ferched tawel a dim sôn amdanyn nhw, ond y diwrnod hwn doedd dim taw ar eu giglan, ac fe ddywedes i, "Hisht! Byddwch dawel!"

Ond dal i giglan yn ddwl oedd y ddwy.

Dyma fi'n dweud yn grac, "Beth sy'n bod arnoch chi'ch dwy heddi' te?"

Ac fe bwysodd un o'r merched mlaen a sibrwd, "Syr, mae'ch drws ffrynt chi ar agor!"

§

Un diwrnod fe ges i brofiad oedd yn dweud yn bendant wrtha i ei bod hi'n bryd i fi ddibennu dysgu. Rhaid i fi gyfaddef nad oeddwn i'r dyn mwya ffasiynol yn yr ysgol gyda fy nhrowsus rib, siaced frethyn yn llawn llwch sialc a chwdyn siopa plastig y Cop yn cario'r llyfrau. Roeddwn i'n sefyll tu fas i stafell y Prifathro yn disgwyl fy nhro i'w weld. Dyma blentyn bach yn rhedeg ata i'n wyllt a dweud, "Alla i gael yr allwedd i stafell saith?"

Ac fe atebais, "Dyw'r allwedd i stafell saith ddim gyda fi."

"Ody, ody, mae'r allwedd gyda chi."

"Rwy wedi dweud wrthot ti – dyw'r allwedd ddim 'da fi!"

"Mae'n rhaid ei bod hi – chi yw'r gofalwr yntefe?"

§

Un o'r cymeriadau mwyaf lliwgar yn yr ysgol oedd Hywel Lloyd sydd wedi datblygu i fod yn ddigrifwr da iawn. Rwy'n cofio gosod tasg i ddosbarth Hywel Lloyd sef ysgrifennu stori dditectif. Roeddwn i wedi esbonio 'mod i am ddialog yn y stori ac wedi rhoi dechrau'r stori iddyn nhw – *"Eisteddai'r Ditectif yn ei swyddfa…"* ac roedden nhw fod gorffen y stori. Pan edrychais i roedd pawb wrthi'n brysur, ac er syndod mawr i fi roedd Hywel Lloyd yn brysur yn ysgrifennu a doedd e byth yn ffwdanu ysgrifennu dim fel arfer. Fe es i draw a darllen yr hyn roedd Hywel wedi'i ysgrifennu. Dyma stori Hywel Lloyd:

Eisteddai'r ditectif Hywel Lloyd yn ei swyddfa a'i draed ar y ddesg yn darllen y *Western Mail.*

Dyma'r ffôn yn canu.

Cododd Hywel y ffôn a daeth llais hysteraidd o'r pen arall, "Dewch glou mae rhywun wedi llofruddio'r gŵr."

Atebodd Hywel, "Rwy'n brysur nawr, fenyw!" a rhoi'r ffôn lawr.

Canodd y ffôn eto ac meddai'r un wraig eto, "Dewch glou. Mae rhywun wedi llofruddio'r gŵr."

"Rwy wedi dweud wrthoch chi unwaith – rwy'n brysur!" a bangiodd y ffôn lawr.

Canodd y ffôn eto, "Mae rhaid i chi ddod! Rwy fan hyn yn borcyn yn y stafell wely."

"Fydda i 'na nawr!"

§

Roedd yna ambell gymeriad ymhlith y plant – megis Paul Richards. Roeddwn i'n hoff iawn o Paul, ond roedd e'n grwt drwg ofnadwy. Roedd e'n fawr am ei oedran a'i brif nod mewn gwers oedd creu anhrefn. Fe fyddai'n eistedd yn y cefn yn cadw sŵn, tynnu gwallt merched, taflu dartiau papur, darllen cylchgronau amheus a dangos y lluniau i bawb. Roeddwn i wedi cael llond bol arno yn amharu ar y wers, a dyma fi'n ei symud e i flaen y dosbarth. Popeth yn iawn ond y peth nesaf, wrth i mi gerdded nôl a mlaen o flaen y dosbarth, roedd e'n ceisio fy maglu gyda'i goesau hir oedd yn ymestyn ymhell allan o'i flaen.

Dyna'i diwedd hi!

Dyma fi'n sefyll uwch ei ben a'm hwyneb yn goch a gweiddi, "Paul, os nad wyt ti'n mynd i ymddwyn yn well rwy'n mynd i dy gadw di mewn amser cinio!"

A'i ateb oedd, "Ti neu fi sy'n dod â'r brechdanau?"

§

Roedd dysgu plant Dyffryn Aeron a'r cylch yn fraint fawr i fi, ac mae daioni'r plant, eu gwreiddioldeb a'u hiwmor iach yn aros gyda fi o hyd. Fe wnaethon ni bethau dwl gyda'n gilydd. Un tro roeddwn i wedi

cael llond bola ar ddiflastod llwydaidd fy stafell ac
undonedd y gwaith, ac rwy'n cofio gofyn i Caryl Lewis
a'i chyfeillion ym mlwyddyn chwech fynd ati i beintio
golygfa coedwig ar waliau'r stafell. Fe wnaethon nhw
beintio llun llew ar y drws – a rhoi 'Mr Llew' o dano!
Wedyn o gwmpas y bwrdd du peintiwyd dail trwchus
gyda mwnci yn pipo allan arna i wrth i fi sgrifennu
ar y bwrdd du. Ar wal arall, peithon mawr yn dringo
lawr coeden a choes rhywun yn sticio allan o'i geg. Fe
fyddai'n arfer gyda fi i sefyll yng nghefn y dosbarth
yn cadw llygad o'r tu ôl ar bawb, ac yno fe beintiwyd
coeden cnau coco gyda chneuen goco anferth yn
syrthio yn union fel petai am ddisgyn ar fy mhen i!

§

Cefais bleser mawr yng nghwmni'r plant ac mae'r
atgofion yn felys iawn, megis y neges ffarwel a gefais
pan oeddwn i'n gadael yr ysgol. Daeth Heulwen
Davies, merch fach swil yn nosbarth dau bryd hynny,
ymlaen ataf ar ddiwedd fy ngwers olaf a rhoi darn o
bapur i fi, "Rwy wedi sgrifennu barddoniaeth i chi,
syr". Dyma oedd ar y papur – rwy'n ofni mai fi yw
gwrthrych y gerdd!

> Dyn od yw ein hathro ni
> Mae e hyd yn oed yn fwy dwlali na fi;
> Addurna'r dosbarth gyda lluniau od,
> Mae e hyd yn oed yn ddwlach na Ken Dodd.

Dyn cyhyrog fel Chippendale
Sy'n hoffi Ryvita a mêl;
Rhechen a wna ambell dro
Gan ddrewi drwy'r holl fro!

Disgrifiad cwbl gelwyddog wrth gwrs!

DALA'R SLAC YN DYNN

Un o nodweddion y Cardi yw ei fod e bach yn
ddiog ac yn mwynhau cael amser i wneud pethe.
  Roedd dau gymeriad o Fanc Siôn Cwilt yn ddiog
iawn. Roedden nhw'n dwli ar fadarch, ond roedden
nhw'n casáu'r holl waith o fynd mas i'r cae, cerdded,
plygu lawr a chasglu'r madarch. Felly fe wnaethon nhw
ddyfeisio peiriant arbennig i godi madarch. Rydych chi
wedi clywed am y 'Popemobîl' sef cerbyd a gafodd ei
addasu i gludo'r Pab o gwmpas pan ddaeth i Brydain.
Roedd rhywun wedi tynnu to bws mini er mwyn
i'r Pab allu codi llaw a bendithio pawb wrth fynd ar
ei daith ynddo. Wel, fe wnaeth Jac.a Twm ddyfeisio
'Myshrwm-mobîl', sef peiriant codi madarch. Roedd
gyda nhw hen fan mini. Fe dynnon nhw'r drysau
bant. Yna, gydag un yn gyrru'r fan o gwmpas y cae, fe
fyddai'r llall yn eistedd wrth ei ochor e yn rhoi ei law
mas ac yn codi'r madarch – Myshrwm-mobîl!

§

Mae pobol Ceredigion wrth eu bodd yn mynd i
Iwerddon achos mae gan y Gwyddel, fel y Cardi,
ddigon o amser i siarad â chi. Does dim brys i wneud
dim byd.
  Fe aeth bechgyn Ffostrasol mas am drip i

Ddulyn yn ddiweddar a phrofi croeso hamddenol y Gwyddelod. Fe gyrhaeddon nhw ar y cwch yn y bore bach, ac roedden nhw ar strydoedd Dulyn erbyn naw o'r gloch. Heb fawr o syniad beth i'w wneud dyma nhw'n gweld tafarn ac yn mynd i mewn yn ofnus.

Roedd Wil yn hoffi hala Dai i wneud pethe, a dyma fe'n dweud, "Dai, cer mlân at y bachan 'na tu ôl y bar a gofyn pryd maen nhw'n agor."

Fe aeth Dai mlaen at y dyn a gofyn, "Pryd chi'n agor y dafarn?"

A'r ateb gafodd e oedd, "D'yn ni ddim yn agor tan ddeg o'r gloch, ond fe allwch chi gael peint bach tra bo' chi'n aros."

Fe arhosodd y bechgyn yn y dafarn drwy'r dydd, ac roedd hi'n ddau o'r gloch y bore erbyn hyn, a dyma Wil yn dweud wrth Dai, "Dai, cer mlaen i ofyn i'r dyn pryd maen nhw'n cau."

Fe aeth Dai mlan a gofyn, "Pryd chi'n cau?"

A'r ateb gafodd e oedd, "Rywbryd ym mis Rhagfyr!"

§

Dyw amser ddim yn bwysig i'r Cardi. Roedd 'na Gardi yn sefyll ar orsaf Caerfyrddin pan ddaeth dyn bant o'r trên a gofyn iddo, "Faint o'r gloch mae'r bysie yn mynd i'r dre?"

Dyma'r Cardi'n ateb, "Maen nhw'n mynd bob cwarter awr."

"Pryd mae'r un nesa te?"

"Mewn ugen munud!"

§

Fe fydda i'n gweld y Cardi nodweddiadol fel dyn yn pwyso ar glwyd a gwelltyn yn ei geg, hen got anniben amdano, corden beinder am ei ganol a chap ar ei ben e. Dyw e byth yn tynnu'r cap dim ond i fwyta bwyd, mynd i'r cwrdd, ac efallai i fynd i'r gwely.

Dyw e ddim yn hidio am ffasiwn nag am wisgo'n smart ac mae'n gas ganddo wario ar ddillad.

Mae e'n hoffi arbed egni wrth wisgo, ac wrth fynd i'r gwely yn y nos mae e'n tynnu ei ddillad drwy dynnu tri dilledyn i ffwrdd ar un tro – un tu fewn y llall – y crys, y bwlofer a'r siaced. Maen nhw i gyd yn dod bant gyda'i gilydd ac yn mynd nôl yr un fath yn y bore.

Fe greda i fod yr hen Syr John Rhys yn Gardi nodweddiadol achos pan aeth e lan i'r coleg yn Rhydychen doedd e ddim yn gredwr mawr mewn dŵr a sebon. Fe ofynnodd rhywun iddo fe sut roedd e'n gwybod pryd oedd hi'n amser newid ei ddillad isaf a'i ateb oedd, "Fe fydda i'n 'u towlu nhw yn erbyn y wal ac os ydyn nhw'n sticio mae'n bryd 'u newid nhw!"

§

Rwy wedi byw ym mhentre Ffostrasol ers tipyn nawr, a lan ar y rhos heb fod ymhell o Ffostrasol mae canolfan y Cyngor Sir, Depot Bois yr Hewl. Un tro roedd gweithwyr y Cyngor wedi mynd allan i weithio ar y ffordd fawr ar Fanc Siôn Cwilt. Pan gyrhaeddon nhw fe sylweddolon nhw fod dim rhofiau gyda nhw. Dyma un o'r bechgyn yn ffonio nôl i'r swyddfa a dweud, "Ni wedi anghofio'r rhofie. Allwch chi hala lori mas â rhofie i ni?"

A dyma'r dyn yn y Swyddfa'n ateb, " Fe hala i nhw mas i chi ar y lori nawr – pwyswch ar eich gilydd nes bod y rhofie'n dod".

§

Am ein bod ni ar dir uchel fe fyddwn ni yn Ffostrasol yn cael llawer o eira yn y gaeaf. Un tro, roedd hi wedi dechrau bwrw eira'n drwm a hynny'n ddirybudd ac roedd dau o fois yr hewl lan ar y ffordd ar Fanc Siôn Cwilt yn gweithio a'r syrfëwr yn gofidio amdanyn nhw. Roedd hi'n bwrw gormod o eira i fynd â lori mas felly dyma ffonio am hofrennydd.

Fe ddaeth yr hofrennydd, ac fe anfonodd y peilot neges, "Rwy'n gweld rhyw ddau smotyn du lawr fan co ar y ffordd – chi'n meddwl mai nhw ydyn nhw?"

Atebodd y syrfëwr, "Os ydyn nhw'n symud – brain 'yn nhw, ond os ydyn nhw'n aros yn llonydd – bois yr hewl 'yn nhw".

§

Roedd bechgyn y Cyngor wedi bod wrthi'n fwy prysur nag arfer ryw fore.

"Amser cinio!" meddai Dai wrth Wil.

"Iawn, fydda i 'da ti nawr, mewn munud," meddai Wil gan droi a damsgen gyda'i holl nerth ar falwoden fawr ddu tu ôl iddo.

"Bachan, Wil, pam oe't ti'n lladd y falwoden fach ddiniwed 'na?" gofynnodd Dai.

A dyma Wil yn ateb, "Mae'r diawl wedi bod yn 'y nilyn i rownd drw'r bore."

§

Gan fod dim byd i'w wneud gyda Wil a Twm, dau o fois yr hewl, fe benderfynon nhw dorri twll yng nghanol yr hewl i gael gwaith, neu rywbeth tebyg i waith, am dri mis. Un diwrnod dyma'r syrfëwr yn dod, ac yn amau bod dim byd mlaen gyda nhw, a dyma fe'n gweiddi lawr i'r twll, "Pwy sy lawr fan 'na?"

"Wil, syr."

"Beth wyt ti'n neud?"

"Dim byd, syr."

"Ody Twm 'na?"

"Ody."

"Twm, beth wyt ti'n neud?"

"Helpu Wil syr!"

§

Roedd tri crwt bach yn yr ysgol un diwrnod a phob un yn ymffrostio mor gyflym oedd ei dad e.

Fe ddywedodd y cyntaf, "Adeiladydd yw dad – mae e'n glou, mae e'n gallu codi 80 o flocie mewn awr!"

Meddai'r ail blentyn, "Ffermwr yw dad – mae e'n glou – mae e'n gallu godro 60 buwch 'da'i ddwylo mewn awr!"

Ac meddai'r trydydd, "Un o Fois yr Hewl yw dad – mae e'n glou, mae e'n bennu 'i waith bob dydd am bump ac mae e gartre yn y tŷ am bedwar!"

BOIS Y WLAD

Mae hi'n broblem mynd i'r tŷ bach yn y wlad yn aml pan fyddwch chi filltiroedd o bob man, ac nid dim ond ffermwr yng nghanol cae neu ar ben mynydd sy'n ei chael hi'n anodd mewn argyfwng. Dyna i chi'r pregethwr hwnnw ar ei ffordd i oedfa pan ddaeth galwad natur.

Aeth pregethwr o ardal y Gogle'
I gaca mewn cae yn Gwernogle,
Ond daeth tarw mawr cas
A dyna hi'n ras –
Doedd dim byd ar ôl ond arogle!

§

Slawer dydd roedd hi'n arfer i gymryd bach o gascara i helpu'r corff i weithio'n iawn, ond mae problemau'n gallu digwydd os cymrwch chi ormod.

Cascara

(Sgwriwr yr ymysgaroedd!)

Os rhwymo wna'r merched hawddgara'
Cadwer potel wrth law o Gascara,
Fe gânt godi yn iach
A mynd i'r tŷ bach –
Ond gofalwch rhag camu'n rhy ara'!

27

Pan oeddwn i'n grwt slawer dydd, byddai pob Cardi yn defnyddio'r *Western Mail* yn y tŷ bach, cyn dyfod dyddiau'r papur tŷ bach meddal, modern. Trueni i'r hen arfer hwnnw farw o'r wlad gan mai dyna'r peth gorau allwch chi wneud gyda'r *Western Mail!* Y drafferth gyda'r papur modern, tenau yma yw eich bod chi, fel y dywedodd Lyn Ebenezer, "yn tueddu i roi'ch bysedd drwyddo!"

Papur tŷ bach enwog iawn yw *Andrecs* (Teilwng o'r Royal Toilet!)

> Os am fod yn lân ac yn iach
> Rhowch Andrex ar silff y tŷ bach;
> Mor enwog yw'r rôl
> Y mae'n sychu pen-ôl
> Y Tywysog ei hun – pan gach.

§

Bues i'n byw mewn tŷ oedd gyferbyn â'r dafarn yn Ffostrasol. Peidiwch byth â phrynu tŷ gyferbyn â thafarn! Fe fyddai bws yn aros o flaen ein tŷ ni a rhyw dri deg yn llifo mas o'r bws a mewn i'r dafarn. Rhialtwch a chanu mawr wedyn ac ar ddiwedd y noson byddai pawb yn dod mas o'r dafarn, yn croesi'r hewl a defnyddio wal ein tŷ ni i wneud dŵr. Fe fuodd rhaid i fi symud o'r tŷ hwnnw – achos roedd y wraig yn hala'i hamser i gyd yn y ffenest!

Fe fuodd un ohonyn nhw'n ddigon haerllug i biso drwy'r twll llythyron – ond fe ddales i hwnnw yn y diwedd â thrap llygoden!

POCED DDWFN Y CARDI

Gwrthododd car Cardi ddechrau yn Nhregaron ar ddiwrnod mart. Fe hwpwyd y car, ei regi a'i gicio, ond yn y diwedd roedd rhaid ffonio'r garej i'w dynnu adre. Pan ddaeth dyn y garej fe fuodd 'na lawer o siarad rhwng y ffermwr a dyn y garej tra roedd y wraig yn disgwyl yn ddiamynedd yn y car. O'r diwedd daeth y ffermwr nôl i'r car a'r cwestiwn cyntaf a gafodd gan ei wraig oedd –

"Faint oedd e'n moyn am dy dynnu di adre?"

"Dwy bunt, myn yffarn i, dwy bunt!"

"Mae hwnna'n ddrud, Wiliam bach, yn ddrud ofnadw."

Ac meddai Wiliam, "Ody, wy'n gwybod, ond rwy'n mynd i gael gwerth fy arian, achos rwy'n mynd i wasgu'r brêc hyd y bon yr holl ffordd gatre!"

§

Dyw Cardi byth yn rhoi ei law yn ei boced i dynnu arian mas os gall e beidio. Roedd un Cardi yn rhentu tyddyn bach oddi wrth ffermwr a dyma hwnnw'n dod i gasglu'r rhent.

"Mae'n ddrwg 'da fi na alla i dalu'r rhent y mis 'ma," meddai'r Cardi.

"Ond dyna beth ddwedoch chi mis diwetha a'r mis

cyn hynny."

"Wel, rhaid i chi gyfaddef 'mod i wedi cadw at fy ngair!"

§

Roedd 'na fardd talcen slip yn rhentu tŷ a byth yn talu ei rent i'r Cardi oedd yn berchen y tŷ. Pan ddaeth y Cardi i gasglu'r rhent fe ddywedodd y bardd, "Fe ddylech chi fod yn ddiolchgar 'mod i'n byw yn y lle 'ma. Mewn 'chydig flynydde fe fydd pobol yn edrych ar y tŷ 'ma ac yn dweud 'Dyna lle'r oedd y bardd yn byw.'"

Atebodd y Cardi, "Sdim eisie iddyn nhw aros mor hir â hynny. Os na dali di nawr fe fyddan nhw'n dweud hynny 'fory!"

§

Fe aeth Cardi i'r coleg yn Aberystwyth ac roedd yn rhaid iddo fe rentu tŷ. Fe ddywedodd y fenyw fach oedd yn berchen y tŷ, "Fe dowles i'r myfyriwr diwetha mas achos bod arno fe naw mis o rent i fi."

"Mi gymra i'r lle, meddai'r Cardi, "mae'r telere 'na'n swnio'n eitha teg i fi!"

DIM SWACHE

Un o nodweddion y Cardi yw ei fod yn casáu
seiens neu sioe. Un o'r bobl oedd yn casáu swache
neu ddangos-yr-hunan oedd Sam Mawr.

Pan ddaeth teledu gyntaf roedd pobl yn cael teledu
er mwyn bod ar y blaen i bawb arall ac fel arwydd o
statws cymdeithasol. Un diwrnod, roedd dyn a oedd
wedi cael teledu cyn pawb arall yn yr ardal ar garreg y
drws wrth i Sam gerdded heibio.

"Sam bachan, dewch mewn i chi gael gweld y teledu
newydd."

"Fi ar frys. Sdim amser 'da fi nawr."

"Rhaid i chi ddod miwn," oedd ateb y dyn a chydio
yn ei fraich a'i arwain i'r stafell fyw lle'r oedd y teledu
newydd mlaen. Bryd hynny roedd y derbyniad yn wael
iawn a llawer o smotiau gwynion ar sgrîn y teledu.

"Wel?" gofynnodd y dyn i Sam wrth i hwnnw sefyll
ar ganol y llawr yn edrych yn syn ar y teledu.

Wnaeth Sam ddim ateb, dim ond dal i sefyll yno'n
edrych yn syn.

Gofynnodd y dyn eto, "Beth chi'n feddwl? Dwedwch
rywbeth."

"Wy'n mynd gatre glou," meddai Sam, "mae hi'n
dachre lluwcho!"

Y CARDI A'I WRAIG

Un swil yw'r Cardi yn sylfaenol, yn enwedig
wrth garu. Dyw e ddim yn un i ddangos ei
deimladau'n rhwydd. Y peth cynta mae Cardi'n ofyn
iddo'i hunan wrth ddewis gwraig yw 'Oes arian 'da hi?'

Roedd gan Sam Mawr fab – Sam Bach! Roedd Sam
Bach wedi dechrau caru nawr gyda merch o Sir Benfro
ac roedd ei dad wedi dod i wybod am y peth.

"Rwy'n clywed dy fod ti wedi dachre caru?"

"Odw."

"Oes arian 'da hi?"

"Oes, mae digon o arian 'da hi, ond mae hi'n drwm
ei chlyw."

"Paid becso dim – gwell gweiddi na gweitho!"

§

Wedi dewis gwraig wedyn, mae'r Cardi yn gwneud ei
orau i beidio gwario gormod o arian arni hi.

> I'r eglwys o'r diwedd aeth Leis
> I'w phriodi â Chardi bach neis,
> Ond wedi dod mas
> Aeth y boi bach yn gas
> Wrth weld yr holl wastraff ar reis!

Tueddu i drin ei wraig braidd yn galed a garw a wna'r Cardi. Dyna i chi'r Cardi o ffermwr yn dihuno un bore a'r wraig wrth ei ochor e yn y gwely wedi marw. Dyma fe'n mynd i ben y grisiau a gweiddi ar y forwyn, "Mari, dim ond un wy i frecwast heddi'!"

§

Roedd gwraig ffermwr o Benuwch yn wael. Dyma fe'n ffonio'r doctor, "Mae hi'n wael doctor."

"Beth chi'n feddwl wrth 'gwael'?"

"Mae hi'n wael iawn, iawn. Dwy i 'rioed wedi'i gweld hi mor wael."

"Pam chi'n dweud 'ny?"

"Wel, gorfod i fi ei chario hi lawr stâr i wneud brecwast i fi."

§

Roedd hen lanc o ffermwr o Lanilar yn chwilio am wraig ac fe anfonodd e'r gwas i ffair Aberystwyth i chwilio am wraig iddo fe.

"Shwt beth chi'n moyn?" gofynnodd y gwas.

"Dere â menyw gryf tua hanner cant os galli di."

"Ond, mistir bach, beth os ffaela i gael un hanner cant?"

"Dere a dwy bump ar hugen te!"

§

Roedd pawb slawer dydd yn mynd i neuadd y pentre i wrando ar noson lawen ac un o'r eitemau fyddai adroddiad digri. Un o'r darnau digri oedd 'Arian Mari' gan Derwenydd Morgan:

Roedd carn o arian 'da Mari
Ond ei bod hi'n salw dros ben…
Ac yn waeth na bod hi'n salw
Roedd ei thafod weithiau yn rhydd
Yn rhuo yn fellt a tharanau
Ar Dafydd druan drwy'r dydd.

Aeth Dafydd i'r dre ryw ddiwrnod
A phrynu wnaeth *fotor car*
Ac wrth yrru hwn tua thre
Roedd Dafydd yn fachgen sgwâr.

A Mari ddaeth i'w gyfarfod
A dywedodd "Dai, cofia di
Fuase'r *motor car* ddim yma
Oni bai am fy arian i."

"Eitha reit, *my dear*," medd Dafydd,
"Dy arian di wnaeth y gwaith.
Oni bai am dy arian
Fase tithe ddim yma chwaith!"

§

Mae'r gwragedd yng Ngheredigion yn tueddu i fod o
faint gweddol. Roedd hi'n arfer gyda phobol y wlad i
fynd am ddiwrnod bach i lan y môr. Roedd trip wedi
mynd o Benuwch i lan y môr yn Cei, ac roedd un
fenyw fach weddol fawr wedi gorwedd ar y traeth yn yr
haul ac wedi cysgu. Fe fuodd rhaid i Harbwr Feistr Cei
fynd lan a dihuno'r fenyw a dweud, "Esgusodwch fi,
Mrs Jones, fe fydd rhaid i chi symud. Chi'n rhwystro'r
llanw rhag dod mewn!"

§

Os oes 'na ambell fenyw dew yng Ngheredigion, mae
'na hefyd ambell fenyw gas. Un gas oedd gwraig Jac
oedd yn gweithio gyda'r Cyngor yn gyrru stîm-roler.
Yn anffodus, roedd hi'n ddiog hefyd. Un diwrnod,
drwy ddamwain, fe aeth y stîm-roler dros ben
Jac. Roedd y bechgyn eraill ofn mynd i ddweud y
newyddion drwg wrth ei wraig, ond o'r diwedd fe
aethon nhw a chnocio drws y tŷ. Roedd hi'n dri o'r
gloch y prynhawn a'r wraig heb godi. Fe ganwyd y
gloch dair gwaith, ac o'r diwedd dyma'r wraig yn dod i
ffenest y llofft.

"Beth chi'n moyn?"

"Mae 'da ni newyddion drwg i chi rwy'n ofni, Mrs
Jones. Mae stîm-roler wedi mynd dros ben John y gŵr.
Allwch chi ddod lawr i agor y drws i ni gael ei gario fe
mewn?"

A'r ateb gaethon nhw oedd, "Dw i ddim yn dod
lawr – hwpwch e mewn dan drws!"

§

Cofiwch chi mae ambell fenyw salw a dioglyd i gael
hefyd. Un fel'ny sy'n cael ei choffáu yn y pennill yma –

> Yma gorwedd Alis hagar
> Dan y garreg yn y ddaear,
> Os câr hi'r bedd fel carai'r gwely
> Hi fydd y dwetha'n atgyfodi.

"Dwi ddim yn dod lawr – hwpwch e mewn dan y drws!"

SACO BOLA'N DYNN

Wrth gwrs mae ei gybydd-dod yn creu problemau i'r Cardi. Roedd ffermwr o Fanc Siôn Cwilt ar ei wely angau. Fe ddywedodd y doctor wrtho fe a'i wraig ei fod e ar ben, ac felly y gallai gael unrhyw beth oedd e eisiau i'w fwyta.

Dyma'r wraig yn gofyn, "Wel, Dai bach, beth hoffet ti gael i fyta te?"

"Fe fyddwn i'n hoffi cael tipyn o'r ham cartre 'na," atebodd Dai.

"Wel, wir, Dai bach," atebodd y wraig, "alli di ddim cael hwnna – mae'n rhaid i ni gadw fe ar gyfer diwrnod yr angladd."

§

Roedd gweision ffarm slawer dydd yn cael amser caled mewn ambell le. Byddai ambell i wraig ffarm yn galed a chybyddlyd ac yn rhoi bwyd gwael iddyn nhw. Fe wnaeth un gwas fferm, oedd wedi bod mewn lle gwael, ysgrifennu'r pennill hwn:

> Fe ges i gawl i ginio
> A chawl i swper heno!
> Y feistres gas geith fynd i'r diawl
> Cyn yfa' i 'chawl hi eto.

Mae 'na hanes am un gwas yn mynd i fferm lle'r oedd
y bwyd yn wael iawn a dyma'r hyn oedd gydag e i
ddweud wrth ddisgrifio pam y gadawodd e'r fferm
ddiflas honno: "Roeddwn i'n was yn y fferm 'ma
– roedd y ffermwr yn gybydd a'r bwyd yn wael iawn.
Fe fuodd y mochyn farw a gaethon ni gig moch am
wythnos. Fe fuodd rhai o'r ieir farw, a dyna'i gyd
gaethon ni am wythnos wedyn oedd cig iâr. Wedyn
gadawes i'r lle, achos buodd yr hen wraig farw!"

§

Mae'r Cardi yn hoffi bwyta, wel, mwy na bwyta
– stwffo, sef bwyta gormod. Roedd 'na ddyn yn
Ffostrasol o'r enw John Lloyd oedd yn mynd o gwmpas
y ffermydd yn lladd moch. Ac wrth gwrs, ymhob man
roedd e'n mynd roedd y ffermwraig yn ei stwffio fe â
bwyd, yn arbennig 'ffrei' sef y cig mwya blasus sydd ar
fochyn. Un noson roedd John Lloyd yn wael gyda bola
tost ofndwy. Roedd hi'n hanner nos a doedd dim ffôn i
gael bryd hynny. Roedd rhaid rhoi'r gaseg yn y gambo
a mynd yn y cart lawr i Landysul i mofyn y meddyg, yr
hen Ddoctor Tom.

Roedd John yn ei wely yn ochneidio'n ofnadwy.
Roedd y meddyg yn rhegi wrth ddod i fyny'r grisiau
am ei fod yn gorfod dod allan ganol nos, "Damo,
damo, damo, dam."

Dyma fe'n edrych ar John Lloyd fan 'ny yn y gwely
yn ochneidio, a gofynnodd i Sara, "Beth mae e wedi'i
fwyta?"

"Mae e wedi byta gormod o ffrei."

"Damo, damo, damo, dam!" meddai'r doctor.

"Beth sy eisie arno fe doctor?" meddai Sara'n ofidus iawn.

Ac meddai'r hen Ddoc Tom, "Ddweda i wrthoch chi nawr beth sy eisiau arno fe – dau dwll tin!"

§

Wrth gwrs, roedd ambell hen lanc wedi byw ar hyd ei oes gyda'i fam a honno'n gofalu amdano ac yn ei faldodi, ac yna wedi colli'r fam roedd yr hen lanc druan yn gorfod ceisio dod i ben â gwneud bwyd ei hunan. Un felny oedd Wil Pwllygeletsh.

> Bu'n rhyfedd ar Wil Pwllygeletsh
> Nos Sadwrn wrth rostio y sosej,
> Fe fyrstiodd y cyfan
> Fel bom ar y ffreipan
> A lladdwyd y gath yn y pasej!

Fe fyrstiodd y cyfan
Fel bom ar y ffreipan
A lladdwyd y gath yn y pasej!

GAN Y GWIRION Y CEIR...

S lawer dydd roedd mynachod yn Ystrad Fflur ac fe
wnaeth un ohonyn nhw fynd bant i Loegr i ymuno
â rhyw fynachdy lle nad oedd y mynachod ond yn
siarad â'i gilydd bob pum mlynedd.

Fuodd e 'na am flynyddoedd ac ar ddiwedd y saith
mlynedd cynta roedd cyfle i bob mynach ddweud
rhywbeth. Fe gododdd un mynach ar ei draed a
dweud, "Mae'r bwyd yn rhy oer." Ddywedodd neb
arall ddim byd.

Wedi saith mlynedd arall fe gododd mynach arall
ar ei draed a dweud, "Mae'r bwyd yn rhy dwym."
Ddywedodd neb arall ddim byd.

Aeth saith mlynedd arall heibio a'r tro hyn dyma'r
Cardi yn codi ar ei ar ei draed ac meddai, "Os ych
chi'n mynd i gwmpo mas fel hyn rwy'n mynd o 'ma!"

§

Amser rhyfel roedd prawf meddygol i weld a oedd
bechgyn y wlad yn ddigon iach a deallus i fynd yn
filwyr. Roedd ambell wag yn gwneud ei orau i swnio'n
dwp er mwyn osgoi gorfod mynd i ryfel. Gofynnodd
y meddyg i Dai. "Petawn i'n torri eich clust chi bant
beth fyddai'r canlyniad?"

"Fyddwn i'n ffaelu clywed yn dda iawn."

"Beth petawn i'n torri'r glust arall bant?"

"Fyddwn i'n ffaelu gweld?"

"Pam chi'n dweud na?"

"Wel, bydde 'nghap i'n cwmpo dros 'yn llyged i!"

§

Roedd llawer o ffeiriau'n dod i bentrefi mawr Ceredigion slawer dydd – llefydd fel Llambed, Aberaeron, Aberteifi ac Aberystwyth. Yn y ffair, fel arfer, byddai pabell focsio lle byddai nifer o focswyr ar lwyfan yn herio bechgyn ifanc lleol i ddod i mewn i'r sgwâr atyn nhw ac yn addo £5 iddyn nhw os medren nhw aros ar eu traed am un rownd. Roedd Dai'n fachan cryf a dyma'i ffrind Wil yn ei berswadio fe i fynd i mewn i'r sgwâr bocsio. Fe gafodd Dai ei fwrw'n syth nes ei fod e ar ei gefen a'r reffari uwch ei ben yn cyfrif – "Un, dau, tri..."

A dyma'i ffrind yn gweiddi ar Wil, "Paid codi'n rhy glou – aros tan naw".

Ac meddai Dai druan, "Faint o'r gloch yw hi nawr te?"

§

Roedd dau o fois Ffostrasol yn sefyll ar sgwâr y pentre pan stopiodd car mawr crand a dyma Sais haerllug yn gwthio'i ben mas drwy'r ffenest ac yn pwyntio at un o'r ffyrdd oedd yn arwain o'r groesffordd. Gofynnodd mewn llais uchel yn Saesneg mewn acen grachaidd heb

ddweud, 'Esgusodwch fi,' na dim, "I ble mae'r ffordd
'na'n mynd?"

Ac meddai Dai, "Dwy i ddim wedi gweld hi'n
mynd i unman 'to!"

ATEB PAROD

Amser roeddwn i'n grwt roedd cyfarfodydd etholiad yn bwysig iawn a'r neuaddau pentre yn llawn, gyda phobl wedi dod i wrando ac i heclo'r siaradwr. Crwt ysgol oeddwn i, ond roeddwn i wedi darllen am Economeg, ac fe es i i neuadd Ffostrasol i ofyn cwestiwn i Roderic Bowen, yr Aelod Seneddol – cwestiwn hir am economeg cefn gwlad a pham nad oedd digon o waith a phethe fel'na. A phan ddibennais i fy nghwestiwn hir y cyfan ddywedodd e oedd, "Cer gatre i 'neud dy waith cartre, fachgen bach!"

A phawb yn chwerthin.

§

Mewn cyfarfod etholiad mewn neuadd bentre arall pan roedd yr hynafgwr Jim Griffiths wedi rhoi araith ddigon arwynebol, fe ofynnodd bachgen ysgol gwestiwn anodd iddo. Dyma Jim Griffiths yn ceisio bod yn glyfar ac fe atebodd y crwt trwy ddweud:

"Rwyt ti'n rhy ifanc i ofyn cwestiyne am wleidyddiaeth."

A'r bachgen yn ei ateb fel bwled:

"Mae'n well na bod yn rhy hen, Jim!"

§

Roedd hen ŵr yn pwyso ar glwyd y fynwent mewn
angladd a Dic-gweud-y-gwir-wrth-bawb yn dod ato.

"Faint yw'ch oedran chi nawr Tomos?"

"Rwy'n naw deg oed, 'machgen i."

"Bachan, sdim llawer o bwynt i chi fynd gartre."

§

Fe aeth llawer o fechgyn pentrefi glan y môr
Ceredigion i ffwrdd i fod yn forwyr a daeth llawer
ohonyn nhw yn gapteiniaid llongau. Roedd ambell un,
er nad oedd e'n ddigon deallus i fod yn gapten llong,
yn ddigon cyfrwys i roi ateb parod mewn argyfwng.

Roedd Capten o Langrannog wedi cael rhai
bechgyn lleol i fynd ar ei long ac roedd un ohonyn
nhw wedi dechrau fel gwas caban ac yn gwneud mân
orchwylion. Y diwrnod 'ma roedd e fod mynd â'r te
i'r Capten. Roedd rhaid i'r Capten gael ei de o'i debot
arian ar ei hambwrdd arian. Roedd hi'n stormus
iawn ac wrth groesi'r dec fe ddaeth hwthwm o wynt
ac fe gwympodd y Cardi bach, ac yn waeth fyth fe
gwympodd y tebot arian dros y bwrdd i'r môr.

Fe aeth y bachgen i mewn at y Capten ac meddai,
"Dwedwch wrtha i Capten, a ody rhywbeth ar goll os
chi'n gwbod ble mae e?"

Atebodd y Capten, "Os chi'n gwbod ble mae e
– dyw e ddim ar goll."

"Os felly wy ddim wedi colli'ch tebot chi achos
rwy'n gwybod ble mae e – ar waelod y môr!"

§

Roedd Cardi yn cadw stondin gwerthu cynnyrch fferm yn y farchnad yn Aberteifi. Roedd rhyw fenyw wedi prynu tato gydag e, ac fe ddaeth hi nôl yr wythnos wedyn gan achwyn am y tato.

"Wy ddim yn credu pryna i dato 'da chi ragor – roedd twlle pryfed yn y tato i gyd."

Ateb parod y Cardi oedd, "Ddylech chi ddim achwyn. Yn ôl y pwyse daloch chi – felly o'wn i ddim wedi codi arnoch chi am y twlle!"

§

Roedd ffermwr o Dregaron yn gwerthu ceffyl ym mart Llambed ac roedd ffermwr o Felinfach eisiau ei brynu fe. Y gwir oedd bod y ceffyl yn hen, wel a dweud y gwir, roedd e'n uffernol o hen.

"Allwch chi warantu'r ceffyl 'ma?" gofynnodd y ffermwr o Felinfach.

"Sdim byd yn bod ar y ceffyl ar wahân i ambell dric," oedd yr ateb.

"Sdim ots da fi am ei dricie fe," meddai'r ffermwr o Felinfach.

Fe brynwyd y ceffyl ac ymhen mis dyma'r ddau ddyn yn cyfarfod â'i gilydd. Gofynnodd y gwerthwr i'r prynwr, "Shwt mae'r ceffyl?"

Atebodd y prynwr yn gas, "Fuodd e farw bythefnos nôl."

"Wel, wel," meddai'r ffermwr o Dregaron, "threiodd e erio'd mo'r tric 'na 'da fi!"

§

Roedd dyn y glo o Landysul yn gorfod mynd lawr lôn hir i fferm Wil Tyddyn. Dyma'r gyrrwr yn cyrraedd y clos ac yn dweud wrth Wil, "Bachan, mae hi'n lôn hir lawr i fan hyn o'r hewl fawr."

Ddywedodd Wil ddim gair.

Dywedodd y gyrrwr eto, "Rwy'n synnu bod y lôn mor hir."

Roedd Wil wedi cael digon nawr ac meddai, "Rwy'n falch ei bod hi mor hir ag y mae hi."

"Pam chi'n dweud hynny, ddyn?" meddai dyn y glo.

"O," meddai Wil, "pe bydde hi'n llai fydde hi ddim yn cyrraedd lawr bob cam i'r clos!"

§

Roedd plismon newydd wedi dod i orsaf heddlu Aberystwyth. Roedd un peth arbennig amdano – roedd gyda fe draed maint 13 – sef traed anferth. Un diwrnod fe alwyd y plismyn ar barêd yn y bore a doedd P C Jones â'r traed mawr ddim yno.

Fe waeddodd y Sarjant, "Ble ma' P C Jones?"

Ac meddai rhyw lais, "Mae e wedi mynd lawr i'r groesffordd i droi rownd!"

§

Roedd Cardi eisiau methu ei brawf meddygol er mwyn osgoi cael ei alw i'r fyddin adeg y rhyfel. Fe benderfynodd esgus nad oedd e'n gweld yn dda iawn.

Fe aeth mewn a dyma'r meddyg yn pwyntio ar siart o lythrennau ar y wal, "Fedrwch chi adnabod rhai o'r llythrennau – dechreuwch gyda'r rhai mawr ar y top."

"Wy'n ffaelu gweld nhw."

"Ddim un ohonyn nhw?"

"Dim un."

"Odych chi'n gweld y siart?" meddai'r meddyg yn ddirmygus.

"Nagw."

Dyma'r meddyg yn gwylltio ac yn dal hambwrdd mawr arian oedd ar y ford o flaen ei lygaid, "Odych chi'n gweld hwn?"

"Jiw, arhoswch funud, mae e'n debyg i hanner coron!"

§

Pan oedd eisteddfod Rhydlewis yn ei hanterth ac yn denu cannoedd o bob man fe fyddai rhai o'r bechgyn ifanc yn cadw twrw ac yn amharu ar y cyfan neu'n gweiddi ambell sylwad o gefn y neuadd. Roedd un arweinydd yn ddigon ffôl i herio'r bechgyn ac fe aeth pethau'n waeth fyth. Dyma'r arweinydd yn colli ei dymer yn lân, "Chi'n brefu fel lloi!"

A dyma lais o'r cefn, "Fel'na mae lloi pan welan nhw lo newydd!"

§

Roedd 'na hen fachan yn ardal Tregroes oedd yn adrodd tipyn. Yn anffodus doedd e ddim yn dysgu darnau newydd ond yn adrodd yr un hen ddarn ymhob man sef 'Bwthyn Bach Melyn Fy Nhad'. Roedd pawb wedi hen flino ar ei glywed e. Fe ddaeth e i un eisteddfod a mynd lan i'r llwyfan gan ddechrau arni drwy gyhoeddi enw'r darn – 'Bwthyn Bach Melyn Fy Nhad'.

A dyma lais o'r cefn, "Mae'n hen bryd i ti wyngalchu fe nawr, Dai!"

§

Roedd hen gar gyda'r ffermwr yma o Benuwch ac roedd e'n rhwd i gyd ac yn gollwng dŵr tano a drwy'r to. Fe gafodd Sam Mawr reid yn y car gyda fe i'r mart yn Nhregaron. Fe ddechreuodd hi bistyllo'r glaw ac roedd y diferion yn dod i mewn drwy do'r car. Wrth fynd heibio cware fe ddywedodd Sam wrth y ffermwr, "Tynna mewn fan hyn – i ni gael cysgodi!"

§

Roedd hi'n brynhawn trymaidd ac fe ddaeth y pregethwr i lawr o'r pulpud ar ôl oedfa hir iawn gyda'r gynulleidfa'n ddigon cysglyd, ac meddai wrth un o'r blaenoriaid gan sychu'r chwys o'i dalcen ar yr un pryd, "Roedd hi'n galed pregethu prynhawn 'ma!"

"Paid cwyno," oedd yr ateb, "beth petaet ti'n gorfod gwrando!"

§

Roedd ambell drafaeliwr yn dod ar ei dro i siop y pentre, ond gan fod y siopwr yn Gardi a ddim eisiau gwario arian doedd fawr o groeso iddo. Fe ddaeth trafaeliwr i siop Ffostrasol ac meddai'r siopwr yn ôl ei arfer, "Alla i ddim eich gweld chi heddiw."

"Da iawn," meddai'r dyn, "trafaeliwr sbectol ydw i."

CYFREITHWYR
A MEDDYGON

Mae gan y Cardi barch mawr at feddygon, yn wir, gormod o barch. Aeth Cardi yn wael ac fe anfonwyd am y doctor. Fe gyrhaeddodd hwnnw ac roedd y claf yn gorwedd yn hollol lonydd ar wastad ei gefn yn y gwely. Wedi edrych arno, fe droiodd y doctor at y wraig a dweud, "Wel, Mrs Jones fach, rwy'n ofni 'i fod e wedi marw."

Cododd y dyn ar ei eistedd yn sydyn a gweiddi, "Na, dwy' i ddim wedi marw!"

Rhoddodd y fenyw hwp lawr iddo ar y gobennydd a dweud, "Bydd dawel, y ffŵl, pwy sy'n gwybod orau, ti neu'r doctor?"

§

Mae Llysoedd Coron Lloegr wedi bod yn erbyn y werin Gymraeg erioed – a Duw a ŵyr sawl Cardi diniwed sy wedi cael ei gosbi ar gam. Cafodd sawl potsiwr tlawd ei gosbi'n greulon gan ei feistr tir oedd ar y fainc. Does dim rhyfedd felly i'r Cardi ddysgu tric neu ddau. Roedd hen wag wedi bod yn potsian a dyma nhw'n gofyn iddo fe, "Euog neu ddieuog?"

Ac meddai'r Cardi, "Bachan, sdim dewis arall da chi?"

"Bydd dawel, y ffŵl – pwy sy'n gwybod orau, ti neu'r doctor?"

§

Roedd dosbarth nos ym Mhentrecwrt gan Dr Davies Llandysul, ac roedd e wedi dod â sgerbwd i ddangos i'r dosbarth. Roedd y pentre i gyd yno – pob oedran. Fe ofynnodd y Doctor i Jimi Brookville, dyn bach gwelw oedd mor denau â rhaca, i ddala'r sgerbwd. Ar ddiwedd y ddarlith dyma'r doctor yn gofyn, "Nawr te, oes rhywun am ofyn cwestiwn?"

Neb yn dweud gair.

Dyma'r Doctor yn troi at fy nhad-cu, Jimi Weun, a gofyn, "Jimi Weun, oes cwestiwn 'da chi?"

"Oes, mae 'da fi gwestiwn i gael – p'un o'r ddau 'na yw'r sgeleton?"

§

Un tro fe es i mewn i dafarn yn Nyffryn Aeron ac roedd hen fachan fan'ny a'i lygaid ar gau yn yfed peint. Fe ofynnes i iddo fe, "Pam chi'n cau eich llyged wrth yfed peint te?"

"Mae'r doctor wedi dweud wrtha i am beidio edrych ar gwrw byth 'to!"

§

Dysgodd ambell gyfreithiwr sut oedd seboni'r ynadon er mantais i'r diffynnydd. Dyna i chi Dai Griffiths, Rhydlewis, cyfreithiwr galluog a thipyn o dderyn, yn amddiffyn Wil oedd wedi'i gyhuddo o ddwyn rhofiau o safle'r Cyngor Sir. Roedd Wil wedi pledio'n euog oherwydd roedd yr holl dystiolaeth yn profi heb amheuaeth ei fod wedi cyflawni'r drosedd. Yr unig beth fedrai Dai Griffiths ei wneud oedd ymbil am drugaredd i Wil.

Fe wyddai Dai Griffiths mai diaconiaid parchus wedi eu trwytho yn y Beibl oedd yr ynadon ac yn arbennig felly Cadeirydd y Fainc, Alun Creunant Davies.

Dyma Dai, gyda chyfrwystra mawr, yn penderfynu

creu adnod yn arbennig i'r achlysur, "Rwy am i chi fod yn drugarog wrth y dyn yma, oherwydd fel mae'r hen adnod yn ddweud, '*Yr hwn a gyfaddefo ei bechod ac a edifarhao – rhodder iddo drugaredd.*" Rhoddwyd dedfryd ysgafn iawn i Wil.

Ymhen rhyw wythnos roedd Alun Creunant yn ffonio Dai Griffiths, "Bachan, yr adnod 'na oedd gyda chi pwy ddiwrnod am edifeirwch, o bwy ran o'r Beibl mae hi'n dod? Rwy wedi bod yn chwilio ond yn ffaelu cael gafael arni'n un man yn y Beibl".

Ac meddai Dai, "Os nad yw hi 'na – fe ddyle hi fod 'na!"

Y CWRW GORAU

Fe fyddai Eirwyn Pontsiân yn arfer dweud nad y cwrw sy'n bwysig ond y cymdeithasu a'r difyrrwch sydd i'w gael pan fydd pobl 'y pethe' yn cwrdd â'i gilydd. Rhywbeth fel hyn oedd pregeth Eirwyn:

> Hym! Hym! Hyfryd Iawn!
> Tri pheth sy'n codi 'nghalon:
> Cael peint yn Aberaeron,
> Dwbwl jin yn Abermâd,
> A phisad yn Nhregaron.

Dyna beth da yw cwrw. Fel mae Dic Jones yn dweud:

> Mae cwrw gwell na'i gilydd
> Nid oes dim cwrw gwael
> Y man lle mae 'nghyfeillion
> Mae'r cwrw gore i'w gael!

Y trueni yw bod yr hen gwrw yn mynd lawr yn rhy glou i chi gael amser i'w flasu fe. Roedd syniad da gyda Dewi Emrys. Roedd e'n dweud mai gwddwg hir fel jiraff ddyle fod gyda dyn – i gael mwynhau blas y cwrw yr holl ffordd lawr!

> Pan welodd llymeitiwr hi'n bwrw
> Ac yntau ynghanol y twrw,
> "Na biti," medd ef

A'i wep tua'r nef,
"Na fyddai'r holl law yma'n gwrw!"

§

Fe ganodd Tydfor gwpled pert iawn am bobol Cwm
Gwaun a'r cwrw cartre oedd gyda nhw ac, wrth gwrs,
yn bwysicach na dim y croeso cartrefol oedd yno:

Mae fel hotel ym mhob tŷ
Hotel a neb yn talu!

§

Fe wnaeth culni crefyddol lawer o niwed i'r hen
ddiwylliant a dod â rhagrith yn ei sgîl. Roedd Isfoel
yn hoffi gwneud hwyl am ben pobl oedd yn pregethu
dirwest ond yn ymddwyn yn wahanol yn eu bywyd
bob dydd ac fe ganodd fel hyn i'r whisgi:

Eitha peth gan bregethwr
Yw swig dda'n gymysg â'i ddŵr.

HIWMOR AR GÂN

Mae nythaid o feirdd yn ne Ceredigion ac maen
nhw wedi cynhyrchu llawer iawn o englynion a
limrigau a phenillion digri, ac yn hoffi tynnu coes ar
gân. Dyna i chi Myrddin Lloyd yn mentro beirniadu
yn Eisteddfod Cymdeithas Ceredigion ac yn ddigon
ffôl i roi'r testun 'Napcyn', sef y darn papur a roddir ar
fyrddau mewn ciniawau. Roedd e'n meddwl ei fod e'n
destun amhosibl i neb wneud englyn arno. Ond roedd
rhyw wag wedi llunio englyn mewn chwinciad:

> Gwir anhepgor yw napcyn – rhag hulio
>   O'r cawl drywsus Myrddin;
>   Plyg yn ei boced wedyn
>   A chadw ef i sychu'i din!

Mae gan y Cardi'r ddawn i ddisgrifio sefyllfa anffodus
mewn ffordd ddoniol. Dyna i chi Isfoel yn sôn am y
ffliw:

> Yma'n cyfarth a charthu – anadl rhwym
>   Dolur rhydd a phoeri;
>   Catar yn cau'r cwteri
>   Mewial cath – a dim hwyl ci.

Mae dychymyg bardd o Gardi yn fyw iawn ac yn
dychmygu damweiniau erchyll:

Dyna faswr oedd Boris Ifano
Hyd nes daeth y ddamwain i'w ran o,
Fe aeth bagal-abowt
Ar *steppes* does dim dowt
A nawr mae e'n *fess* o soprano!

Roedd coedwr yn fforest Natal w
A'i fwyell yn od o ddi-ddal w,
Gan taw beth a ddigwyddodd
P'un a'i afael e slipodd
Ond fe gropiodd ei beth-ych-chi'n-galw!

Y BARDD GWLAD
YN CREU CHWERTHIN

Mae Elizabeth Reynolds, mam y prifardd Idris Reynolds, wedi cofnodi dawn dynion cyffredin, slawer dydd, i greu penillion digri ar gyfer achlysur arbennig. Roedd 'Glanarthog', a rhoi iddo ei enw barddol, o ardal Synod yn saer da oedd wedi gwneud gwaith i ryw Gardi, a hwnnw'n ddyn amhosibl ei blesio. Fe fyddai'r saer yn cael y bai am bopeth ac roedd hwnnw wedi cynddeiriogi gymaint nes dweud wrtho am stwffo ei waith. Anfonodd yr englyn yma at y dyn beirniadol:

> Yr adyn a'r asyn oesawl – a'r padi
> O'r pydew brwmstanawl,
> Brîd y *Jew* a brawd y jawl,
> Y ffyrnig ddyn uffernawl!

Roedd bardd, ffermwr arall o ardal Synod, wedi cael ei feirniadu am adael i'w wartheg grwydro ar dir cymydog iddo.

> Yn y Parce mae Joni'n byw,
> Y conyn rhyfedda greodd Duw,
> Aeth un o'm da i mewn i'w ŷd
> A thyngodd y diawl bo' nhw 'na i gyd!

Roedd Dafi'r Teiliwr o ardal Penmorfa yn enwog
am wneud pennill parod. Un tro anfonodd cwsmer
drowser yn ôl iddo gan gwyno ei fod yn rhy hir. Aeth
Dafi ati i'w fyrhau a'i anfon yn ôl wedyn gyda'r pennill
hwn:

> Nid oedd y trowser yn rhy hir,
> Mae'n ddigon gwir y geiriau,
> Ond chi eich hun, fy annwyl Syr,
> Oedd yn rhy fyr eich coesau!

DIREIDI DYFFRYN AERON

Mae 'na bobl o hyd yn Nyffryn Aeron sy'n gallu adrodd penillion sydd wedi eu trosglwyddo ar lafar am o leiaf ddau gan mlynedd. Penillion yw llawer ohonyn nhw sy'n rhy goch i'w rhoi yma. Mae un teulu'n arbennig, teulu'r bardd Cerngoch, wedi cadw a thrysori llên llafar eu bro sef Gareth Davies, Sychbant, Talsarn; Gruff Morgan, Wernddu, Pennant; Gerallt Williams, Llys-y-wawr, Penuwch; a Roderick Davies, Croesmaen, Llandysul. Mae angen mynd ati ar unwaith i gyhoeddi'r cyfoeth o bethau sy gyda nhw, ond dyma damaid i aros pryd.

Roedd y bardd gwlad yn canu i'w gymdeithas ac yn rhyw fath o ddisgyblwr ardal. Er enghraifft, os oedd cigydd yn teimlo ei fod yn gallu gwerthu cig hen anifeiliaid roedd e'n gwneud camgymeriad oherwydd roedd Jac Tŷ Tiler (John Jenkins, nai i Cerngoch) yn barod ei awen!

> Bwtshwr bach Mydroilyn
> A'i gig e fel cig asyn;
> Ni weli seren ar y cawl,
> Mae fel y diawl o wddyn!

Weithiau fe fyddai tro trwstan o fewn y teulu ei hun yn ddigon i gorddi awen y bardd, a dyma bennill a glywodd Gareth Davies, Sychbant yn cael ei adrodd yn yr ardal:

> Mae Joni ni yn hogyn mawr
> Mae'n gwneud ei fusnes ar y llawr.
> Pen-ôl rhy fawr i ffitio'r pot
> Ac ar y llawr mae'r blydi lot!

Wrth gwrs fe wyddai'r beirdd sut i lunio pennill amharchus oedd yn swnio'n barchus drwy chwarae ar ystyr gair!

> Yr oedd merch yn byw yng Nghwmlleine
> Yn barnu pob dyn wrth ei bwrs e,
> Os oedd e'n un mawr
> Yn llusgo i'r llawr
> Fe redai fel ffŵl ar ei ôl e!

Fe welwch chi globen o fenyw ambell waith a dyn bach wrth ei hochor hi. Wel, y pâr ryfedda fuodd erioed oedd Teiliwr Bach Dihewyd a'i wraig. Dim ond tair troedfedd wyth modfedd oedd y teiliwr, ac yn pwyso pedair stôn a hanner. Roedd ei wraig ddwy droedfedd yn fwy ac yn pwyso deirgwaith cymaint ag e. Fe gafodd y teiliwr saith o blant.

Aeth Teiliwr Bach Dihewyd i ryw fferm i deilwria. Dywedodd y ffermwr wrtho,

"Bydd yn rhaid i fi fynd i'r gwely tra bo chi'n cywiro'n nhrowser i – achos dyna'r unig un sy 'da fi".

Ac meddai'r corrach o deiliwr yn ddireidus, "Bachan, sdim eisie i chi 'neud hynny – fe gewch chi fenthyg 'y nhrowser i!"

Mae llawer rhigwm ar gof gwlad yn Nyffryn Aeron
am y Teiliwr Bach.

> Teiliwr Bach Dihewyd
> Yn cerdded yn glic
> Fe gwrddodd â chwannen
> A rhoi iddi gic,
> Fe gododd y chwannen
> Ar ei thraed ôl
> A rhedodd y Teiliwr
> Heb fyth edrych nôl!

CYMERIADAU CEREDIGION

Ifan Thomas Rhys

Dyma'r pennill a ganodd y bardd Ifan Tomos Rhys
wedi i wraig fonheddig Neuadd, Llanarth gau ei afr
mewn tŷ am ddau ddiwrnod am ei bod yn pori yn rhy
agos i'r plas:

> Y rhawnddu, fwngddu, hagar.
> Beth wnest ti i'th chwaer yr afar?
> 'Run cyrn â'th dad, 'run farf â'th fam,
> Pam rhoist ti hi ar gam yng ngharchar?

Ruth Mynachlog

Roedd gan fam-gu Eirwyn Pontsian, sef Ruth
Mynachlog, hiwmor arbennig. Doedd dim
llyfrgelloedd i'w cael bryd hynny, ac roedd llawer o
fechgyn tlawd yr ardal wedi cytuno i roi ceiniog y mis
i brynu llyfr. Byddai'r llyfr hwnnw wedyn yn mynd o
law i law a'r person olaf i'w ddarllen yn dod yn berchen
arno.

Roedd John, gŵr Ruth, yn ddarllenwr mawr ac yn
aelod o'r clwb llyfrau. Fe ddaeth yn berchen ar ddau
lyfr trwm o ran cynnwys a maint, *Cyfatebiaeth Butler*
a *Traethodau Bacon*. Fe fu farw John gan adael Ruth

gyda llond tŷ o blant mewn bwthyn bychan. Er ei bod y tlotaf o'r tlodion roedd ynddi ysbryd arbennig, dawn gerddorol a gallu anghyffredin ac fe ysgrifennodd hanes ei bywyd, *Atgofion Ruth Mynachlog*. Dyma hi'n disgrifio beth ddigwyddodd i'r llyfrau:

"Gan nad oedd lle yn y llety bu'n rhaid arnaf roi'r blychaid llyfrau ar 'dowlad' twlc y mochyn, neu'n fwy cywir twlc yr hwch. Pan godais un bore roedd gan yr hwch foch bach ac roedd hi wedi tynnu'r dowlad dan ei thraed a sathru a rhwygo pob llyfr a dalen yn ei gwewyr.

Ni allwn lai na chrïo wrth weld y fath sarnfa ar fy hoff lyfrau ond yr un pryd diolchwn am y moch bach, a rhyfedd yw meddwl nad yw'n amhosibl na chafodd rhai o draethodau Bacon eu troi o'r diwedd yn facwn Cymru!"

Sarnicol

Dyn oedd â chanddo'r ddawn i lunio penillion syml bachog oedd Sarnicol. Roedd e'n hoffi cael hwyl am ben y bobl bwysig. Dyma fe'n cael hwyl am ben y dyn dysgedig fyddai pobl Ceredigion yn alw'n glyfar – mor glyfar maen nhw'n dwp o glyfar!

> Mae gŵr yn gorwedd yma o dan yr yw
> A wyddai bopeth ond y ffordd i fyw.

Un arall oedd yn destun gwawd Sarnicol oedd y dyn busnes a'i fryd ar ddim byd ond arian – megis y Cardi a wnaeth ffortiwn drwy roi dŵr ar ben llaeth yn Llundain.

Ei filoedd yn y byd a wnaeth
Drwy ddodi dŵr ar ben y llaeth;
Ond lle mae heddiw, mae'n dra siŵr,
Fe wnâi filoedd pe câi ddŵr.

Idwal

Un o'n digrifwyr mwyaf, os nad y mwya, oedd Idwal
Jones. Roedd gwreiddiau Idwal yn nyffryn Aeron, ond
fe symudodd tad a mam Idwal i Lambed a'r rheswm
am hynny yn ôl Idwal oedd "achos 'u bod nhw'n
meddwl ei bod hi'n fwy *genteel* i fi gael fy ngeni yn y
dre!"

Wedi i Idwal, oherwydd ei iechyd gwael, orfod
rhoi'r gorau i'w waith fel athro fe fu'n cymryd
dosbarthiadau nos ac yn darlithio ar y ddrama. Roedd
e wedi trefnu mynd i roi darlith ar y ddrama yn
Llambed. Rhaid cofio mai mab Teifi Jones, sef dyn
y glo, oedd Idwal a doedd rhai o grachach Llambed
ddim yn fodlon ei fod e wedi dod mlaen gystal yn y
byd. Roedd un hen ferch, oedd yn enwog am fod yn
haerllug a checrus, yn eiddigeddus o'r ffaith fod Idwal,
mab dyn y glo, wedi dod yn ddarlithydd *extra mural.*
Roedd hi a'i chymdoges wrthi'n clebran un diwrnod,
"Wy'n clywed bod e Idwal, mab Teifi Jones y glo, yn
dod i roi darlith yn y dre nos 'fory."

Ac meddai'r hen wraig gecrus, "Hy! mab dyn y glo.
Fe fydda i'n mynd i'r ddarlith, ac fe ddangosa i 'i seis
iddo fe!"

Fe ddaeth y darlithydd a chael ymateb da. Ar ddiwedd ei ddarlith gofynnodd i'w gynulleidfa, "Oes cwestiwn 'da rhywun?"

Fe ofynnodd y wraig gecrus "Pryd ga' i lo?"

Fel fflach atebodd Idwal, "Mae'n dibynnu pryd gaethoch chi darw!"

Neli Davies, Tregaron

Fe wnaeth Neli Davies Tregaron, chwaer Casi Davies, limrigau am gymeriadau Ceredigion. Mae gyda ni air arbennig am 'wenyn meirch' yn y sir hon sef 'picwn' a'r enw am un ohonyn nhw yw 'picwnen'.

> Hen wraig fach yn byw yn Llanwnnen
> Yn enwog drwy'r fro fel hen gonen,
> O hyd yn gwenwyno
> A chintach a chwyno
> Dan fwmial drwy'i thrwyn fel picwnen.

Y gair am siglo o ochr i ochor yw mynd 'wigldiwagal'.

> Hen wraig fach yn byw ym Mhentrecagal
> Yn cerdded ar bwys dwy ffon fagal
> Mae'n eiste'n y tŷ
> Yn gwau hosan ddu
> A'i phen hi'n mynd wigldiwagal.

Isfoel

Roedd Isfoel yn fardd a oedd yn achosi dychryn yn ei ardal gyda'i ganeuon dychanol i ddrygioni neu bechodau neu droeon trwstan ei gymdogion. Byddai pobl yn aml yn mynd at Isfoel ac yn rhoi ffowlyn neu ryw anrheg arall iddo i beidio canu penillion amdanyn nhw.

Dyma fel mae T Llew Jones yn adrodd am y cefndir i un o ganeuon Isfoel:

"Roedd y ddau ddyn yma wedi mynd allan i ganu nos Calan ac roedd yr elw yn mynd at Dr Barnado, ond roedd llawer o hen gapteiniaid llong yn byw ffordd hyn slawer dydd chi'n gweld ac roedd y cwpan a'r botel whisgi yn dod mas pan fyddai'r ddau yma yn canu yn y drws.

> Mae'r nos cyn y Calan yn annwyl i ni
> Fe'i cedwir yn barchus mewn miri a bri;
> Mae'r Cymry gwladgarol mewn hwyl a mwynhad
> Yn cadw'r traddodiad yn fyw yn y wlad.

(Rwy wedi newid yr enwau fan hyn a defnyddio "rhywun".)

> Aeth 'rhywun', gŵr 'rhywun' a 'rhywun' ei frawd
> I ganu wrth ddrysau y bonedd a'r tlawd.
> Gan gychwyn yn gynnar am ddeuddeg o'r gloch
> A thiwnio'u telynau mewn hwyl yn Glyncoch.

(Roedd Capten llong yn byw yn Glyncoch.)

> Roedd pobol yr ardal yn disgwyl ers tro
> Brazell a Caruso fel arfer drwy'r fro;
> Mae'r ddau mor ddyngarol a'u llafur er lles
> A Dr Barnado sy'n derbyn y pres.
> Roedd llygaid Caruso yn hynod o dlws

Pan welodd y Capten a'r botel yn drws.
Rôl llyncu dau ddwbler, nefolaidd eu smel,
Caed cân gan Caruso a dawns gan Brazell.
Canasant yn nrysau pob Capten drwy'r fro
A'r miwsig yn ennill y cwpan bob tro.
Yr emyn a'r faled yn codi drwy'r nen
A'r licer ysbrydol yn codi i'r pen.

Ond rhedodd yr oriau, trymhaodd y llais,
A gwnaethant wâl gynnes ynghyd yn y clais.
Fe wnaeth y dŵr lemon a'r dwblers eu gwaith
A rhaid i'r seraffiaid gael cwsg ambell waith.

(Fe aeth y ddau i gysgu yn y clawdd!)

Disgynnodd y llwydrew a thorrodd y wawr
A'r ddau'n cyd-chwyrnu'n gysurus ar lawr.
Ond wedyn a'r barrug yn wyn dros yr oll
Dihunodd Caruso â'i ddannedd ar goll."

S B Jones

Roedd bri mawr ar adroddiadau digri ar un adeg
gyda mynd mawr ar adrodd 'Matilda' o waith Abeia
Roderick; Tom Lewis, Cwrtnewydd yn llunio'i
ddarnau digri ei hunan megis 'Y Cowboi', a D. J.
Lloyd, Danfforgar yn adrodd 'Y Dyn Dierth' o waith
S B Jones. Roedd yna ryw neges tu ôl i ddigrifwch pob
un ohonyn nhw.

Y Dyn Dierth

Un od yw'r dyn dierth
Ontefe te nawr.
Mae'n od os yw'n fach
Mae'n od os yw'n fawr
Mae'n od yn y dydd
Mae'n od yn y nos
Mae'n od ar yr hewl
Mae'n od ar y clôs
Mae'n od yn y capel
Mae'n od yn y ffair
Yn od diwrnod dyrnu
Yn od ar gae gwair
Mae'n od ymhobman drwy'r byd yn grwn
Ac mae'n od iddo'i hunan weithe mi wn.
'Dyw e'n debyg i neb o ddynion byw.
Wel na'dy, wrth gwrs, – dyn dierth yw.

Rwy'n cofio pan own i'n byw ym Mrynmawr
Y lle ces i'm magu, cyn dod lle rwy' nawr
Yn nabod pawb a phawb yn 'nabod i
'Ti'a 'tithe' fel na a dim neb yn 'chi'.
Ro'wn i mor hapus cofiwch â blodyn ar ddôl
Ond rwy'n teimlo heddi' wrth edrych yn ôl
Nag own i'n neb yno, ond un bach mewn cornel
Rhyw un bach arall i orffen y bwndel.
Ac rwy'n cofio ar ôl i fi symud wedyn
Pan deimles i gynta 'y 'mod i yn rhywun
Pob un trwy'r ardal i gyd yn fy ngweld
Ac yn edrych arna i fel llester ar seld

Holi a own i yn lico yn well
Nag yn yr ardal fynyddig bell
Ac os bydde ishe rhywbeth o lidiart i lwy
Fod digon o bopeth i gael ganddyn' hwy.
Dwy'n amau dim cofiwch o'u caredigrwydd mawr
Ond rwy'n gofyn weithe, pam na hola nhw nawr?
Ond un od yw'r dyn dierth ontefe.

Mi etho i i'r capel y dydd Sul cynta i gyd.
A chyn i fi droi mewn i'r lobi o'r stryd
Roedd dynion rownd i fi fel gwenyn meirch
Neu haid o wydde am sopyn o geirch
A Jones y Gweinidog cyn dechrau'i bregeth
Yn gweud mor dda 'dag e oedd gweld y dyn dierth.
Ces fy ngwahodd i de gyda whech neu saith
A derbyniais y cynta wrth gwrs ar unwaith.
A fel'ny bues i o wythnos i wythnos
Mewn *serviettes* ac yn byta pancos.
Roedd eu caredigrwydd, cofiwch mor loyw â'r gole
Ond rwy ar 'y mwyd 'n hunan nawr ers blynydde!
Ond un od yw'r dyn dierth.

Mae Jones y pregethwr yn fachan bach nêt
Os nad yw'n seboni – mae e'n un strêt.
Pregethu'n solet heb ffwdan na ffrwst
Ac yn ei rhoi hi weithe nes bo'r cwbwl yn ddwst!
Ond rwy'n sylwi bod dynion mewn cwrdde mowr
Yn grondo'n fwy serchog ar lofft nac ar lawr
A'r diaconiaid a'u llyged fel sêr
Y gallech chi 'u gweld nhw o Fancyn Shin-Clêr.
Ac yn gweu trwy'r cwbwl fel brige coed

Er mwyn cael diolch am y bregeth 'ore erioed'
A'r hen Jones wrth gwrs yn gweld trwy'r cwbwl,
Yn gweud dim gair – dim un gair o gwbwl.
A gobeithio rwy i fod ynte'r hen sant
Yn cael ambell i ddiolch ar ei Suliau bant.
Achos un od yw'r dyn dierth.

'Mhen blwyddyn neu ddwy mi ddechreues garu
A phethe'n siapo'n net at briodi
Ond sylwes gan bwyll bach fod rywbeth ar Fanw
Ddim mor brydlon ag arfer ac esgus bo' hi'n bwrw.
Deallais ei dolur – roedd sparbil o lanc
O Sir Aberteifi wedi dod i'r Banc
Ac yn swancan obiti ar ei fotor beic
Fel tase fe newydd ddod gatre o'r Klondike.
A'r olwg ddiwetha ges i ar Fanw
Oedd yn paso ar y pilion tu cefen i hwnnw.
Wel tawn i'n marw!
Ond un od yw'r dyn dierth.

Ddantes i ddim fel babi mewn siôl
Os aeth Fanw ar y pilion – roedd Mari ar ôl
Ac fe briodon ar unwaith yng Nghapel 'Bergwili
Tra bo ni'n weddol ddierth – cyn mynd yn ewn ar
ein gily'.
A fuodd dim dou mwy hapus erio'd yng Nghymru
Na fi a Mari – dim ond i ni gael llony'.
Ond jawl ro'wn i fan'co pwy ddydd yn y gegin
Yn barod i ginio a mynte Mari'n sydyn,
A siarp bach hefyd, wrth gario'r porc

Am i fi beidio whare â'r gylleth a'r fforc
Ond iwso maners 'run fath â'r Sgweier
A alwodd heibio i inspecto'r cwler.
Ond whare teg i Mari, fe wharddodd yn iach
Pan bases iddi 'mhen tipyn bach
Y mwstard a'r bara a dau neu dri o blate
A gweud wrthi am fyta fel tase hi gartre
Achos mae'n gweld trwy rywbeth mewn wincad
madfall
Neu f'alle y bydde wedi priodi rhywun arall.
Achos un od yw'r dyn dierth.

A'r nosweth 'ny wedyn ro'n ni i gyd wrth y tân
Bonyn onnen mawr a bach o lo mân
Pan gyfarthodd Ffan a chnoc wrth y drws
A rhywun yn cerdded yn ysgon mewn shws.
Wel dyma ddyn dierth. "Dewch mlan," mynte Mari
A phawb yn sgidadlan hi ar draws 'i gily'
I Ifans y Siop gael smoco i'r shime
A phoeri i'r tân a rhwto'i benlinie.
Eisteddes inne ar gornel y sgiw
Ynghanol y drafft ac yn trwshal miwn ffliw
A Ifans yn sgwaru yn y gadair freichie,
Lle dylwn i fod a lle ro'wn i gynne.
Wel! Wel! Un od yw'r dyn dierth ontefe.

Ma rhai dynion yn gofyn yn gall
Am fy marn i yn amal ar hyn a'r llall
Ac wsnoth-wetha roedd gwraig o Lanybri
Am i fi ddod draw i weld hen gloc tad-cu.
Wel, eglures yn fanwl shwt oedd cydio yn ei blwmen

A rhoi olew ar ei berfedd â spwdin o blufen
A shwt oedd hala'r pendil yn ôl a blân
A'i weindio'n ofalus yn y ddou dwll ar wahân.
Ond ych chi'n meddwl câ' i edrych ar y cloc draw 'co
Dim ffiers, mae rhaid cael Tomos y Go
Â'i dongs a'i binsiwrn a'i ffeil a phethe fel'ny
A'i gan olew fel gwddwg clacwy'
Ac os bydd ôl ei fyse' fe ar y *glass* yn smots
A'i dicad yn gloff ar y diwedd, sdim ots
Caiff swper harti – dou wy a ham
A sos O.K. a tshytni a jam.
O ie, ie, ond un od yw'r dyn dierth ond tefe te.

Ond gwedwch chi fynnoch chi am bethe fel hyn
Mae'r esgid weithe yn gwasgu'n rhy dynn
I'r dyn dierth allu gwybod dim amdani
Ac mae'r gyfrinach honno rhyngo i a Mari
Ac fel yr hen grwydryn sy'n canu ar y stryd
A dynion yn pasio – yn paso i gyd
Rwy'n disgwyl bydd un yn aros yn ffrind
Pan fydd y dynion dierth i gyd wedi mynd.

Eirwyn

Fe gefais i'r fraint o adnabod yr athrylith o ddigrifiwr
hwnnw – Eirwyn Pontsian.

Mae'r rhan fwyaf o straeon Eirwyn wedi'u cadw
yn y cyfrolau *Twyll Dyn* a *Hyfryd Iawn* a dylai pawb
ddarllen llyfrau Eirwyn i weld y cyfuniad o hiwmor a
doethineb sydd yn ei straeon gwreiddiol.

Roedd Eirwyn a'i fam yn byw gyda'i fam-gu, Ruth

Mynachlog, ac yno ar aelwyd ei fam-gu y dechreuodd adrodd ei straeon a'i gerddi.

Roedd Ruth Mynachlog wedi mynd yn ffaeledig ac yn methu mynd i'r cwrdd. Fe fyddai hi'n anfon Eirwyn i'r cwrdd ac ar ôl iddo ddod nôl roedd e'n gorfod adrodd beth oedd testun y bregeth a dweud beth oedd cynnwys y bregeth wrth yr hen wraig. Fe fyddai Eirwyn yn tynnu coes yr hen wraig drwy wneud ei adnodau doniol ei hunan, "Beth o'dd testun y bregeth heddi Eirwyn?"

"Testun y bregeth heddi, mam-gu, o'dd yr adnod *Bwrw dy fara ar wyneb y dyfroedd – ond gofala fod y llanw'n dod mewn!*"

§

Mae arna i hiraeth mawr ar ei ôl wrth feddwl na chlywa i ddim eto'r dyn bach â'r mwstash yn dweud pethe fel hyn:

"Hmm! Hmm! Hyfryd Iawn!

Pan o'wn i'n grwt yn Nhalgarreg ro'n i'n mwynhau dysgu penillion dwl ac wedyn 'u dweud nhw wrth y plant er'ill er mwyn 'u hala nhw i wherthin. Pethe fel:

O ryfeddodau mawr y byd
Y mwyaf ydyw hwn
Paham mae mul yn cachu'n sgwâr
A thwll 'i din e'n grwn?

Dyna chi gwcw yw Magi Thatcher yn hala'r holl fechgyn ifanc i ryfel yn erbyn yr Ariannin er mwyn lladd bechgyn ifanc y wlad honno.

O claddwch Magi Thatcher
Naw troedfedd yn y baw
A rhoddwch arni ddigon
O ffrwyth y gaib a'r rhaw
Rhag ofn i'r diawl i godi
A phoeni'r oes a ddaw."

Ie, athrylith o ddigrifwr oedd Eirwyn.

Jacob

Idwal a Waldo ddechreuodd y cerddi dwli yn Gymraeg
ond roedd Jacob Dafis yn feistr arnyn nhw hefyd.

Gwelais ddyn yn bwyta weier
Ac yn yfed cawl o deier,
A bob tro yn lle cael pwdin
Mynnai din-tacs, ddau lond cwdyn!

Gwelais wraig yn llyncu llwye
Ac yn dodi jam ar wye,
Â i gysgu heb ei suo
Beunos yn y badell ffrïo.

Deliais unwaith dair o gacwn
Wrthi'n gweithio beic o facwn,
Meddai un, "Hai ati cochyn,
Gwna i'm ffri-whil o lygad mochyn!"

A beth am y pennill bach hwn gan Jacob?

Daeth cloben o fenyw
I'r siop bore heddiw
Yn llawn o frys a ffws.

"Dewch glou â thrap llygod,"
Meddai'r ddynes hynod
"Rwyf eisiau dala bws."

Problem fawr ar ffermydd Ceredigion ddoe a heddiw
yw pla o lygod mawr. Wrth gwrs, roedd ambell
ffermwr anniben yn ei chael hi'n waeth na'r lleill:

Daeth llygod i fferm Pentrenacs
Gan friwio y cyfan yn rhacs
Nid oes gydag Ifan ar ôl yn yr ydlan
Ond seilie a cheiliog cwmbacs!

Dyw glendid corfforol ddim yn un o rinweddau mawr
y Cardi. Dyma bennill Jacob am siopwr oedd byth yn
golchi'i ddwylo:

Roedd Dafydd Jones yn siopwr clên
Mewn ffedog o liw'r eira
O glust i glust yn estyn gwên
A'i ddwylo bach a rwbia.

Yn siop y pentre fe geir cêc
A charbeid heb ei bwyso,
Os nad wy i'n neud mistêc
Fe ddyle olchi'i ddwylo!

Fe ddisgrifiodd Jacob ddyn yr oedd ei ddiogi wedi
mynd yn drech nag e mewn limrig:

Aeth yr awydd i gysgu yn drech
Na blaenor o ardal Trelech;
Mae wedi rhoi'r gore

Ers tro i'r cwrdd bore
Ond mae'n llusgo gan bwyll i'r cwrdd whech.

A dyma i chi feddargraff Jacob i ŵr dioglyd:

Bu'n ddioglyd dros ei oes
Hyd at ei huno:
Nid marw wnaeth y gŵr
Ond blino;
Ac ar ei fedd fe roed
Ei garreg goffa,
A honno, ar ei gais,
'Run siâp â soffa.

Fe luniodd Jacob gannoedd o limrigau digri – dyma un neu ddau:

"Jiw caton!" medd Dafydd wrth Citi,
"Dyw cacen fel hyn ddim yn ffit i
Roi o flaen cŵn
Neu ginio babŵn
"Os felly," medd Citi, "wel byt hi!"

Mae Sami yn dipyn o sgoler
Er nad yw ond gyrrwr stîm-roler:
Mae'n arbed ei fadam
Ac ar darmacadam
Bob wythnos mae'n smwddio ei goler.

Tydfor

Roedd Tydfor yn cynrychioli hiwmor y Cardi ar ei orau – yn ei limrigau a'i ganeuon a'i storïau.

Un o hoff storïau Tydfor oedd am hen bâr yn gwerthu eu tyddyn. Fe ddaeth rhyw fenyw swanc o'r dre i weld y tyddyn bach oedd braidd yn gyntefig ei gyfleusterau. Fe ddangosodd Mari y fenyw grachaidd o gwmpas y tŷ a honno'n codi'i thrwyn a dweud y byddai eisiau gwneud hyn a gwneud y llall i gael y lle'n deidi. Fe ofynnodd y fenyw, "Ble mae'r tŷ bach?"

"Mae e mas yn yr ardd. Fe ddangosa i fe i chi nawr."

Dyma nhw'n mynd lawr i'r tŷ bach sinc ar waelod yr ardd, a Mari'n dangos y sêt bren a'r twll crwn a'r bwced tano oedd yn cael ei wacáu bob hyn a hyn.

"Rwy'n gofidio am y bwced na," meddai hi wrth ei gŵr.

Ac meddai Mari, "Sdim eisiau i chi fecso dim am y bwced – does neb wedi ei ddwgyd e 'to!"

Roedd Tydfor yn bencampwr ar y limrig hefyd.

> Rwy'n caru yn awr gyda Sal
> A'r mawredd y mae hi'n un dal!
> Cyn caf ei chusanu
> Na rhoi braich amdani
> Mae'n rhaid neidio lan i ben wal!

> Aeth Dafydd i'r mart â'r llo sugno
> A'r trailer yn cratshan a chorco
> I lawr rhiw Cwmsgwt
> Daeth bant, dwn i'm shwt,
> A'r llo'n wafo'i gwt wrth fynd heibio!

Fe ysgrifennodd Tydfor lawer o gerddi digri, ac yn un ohonyn nhw mae e'n disgrifio merched yn chwarae pêl-droed fel hyn:

> Mae menyw'n dwff
> A ddim yn mynd mas o bwff
> Mewn stwff rwff;
> Ac os ceir cwff
> Mae dau fymper o dan y jymper!

Gret Jenkins, Felinfach

I fi, Gret Jenkins yw brenhines actoresau Cymru. Mewn unrhyw wlad arall byddai wedi ei anrhydeddu gyda rhywbeth tebyg i Oscar am ei pherfformiadau disglair. Mae Gret yn byrlymu o hiwmor iach ac yn llunio penillion i bob achlysur. Cymydog i Gret yw actor dawnus arall – Dafydd Aeron. Dyma gerdd a gyfansoddodd Gret i dynnu coes Dafydd Aeron a'i briod Delyth am y wahadden oedd yn twrio eu lawnt.

Y Wahadden

> Rhyw filltir a hanner o'r theatr hwn
> I fyny'r hewl dyrpeg mae pentre bach crwn,
> Ac yno fe welwch chi fwthyn bach hardd
> A llysiau a blodau yn llanw yr ardd.
> Mae'n gryno a thwt
> 'Da Delyth a'r crwt
> Ewch yno bryd mynnoch
> Mae'n hynod o dwt.

Ond clywais ddydd Mercher fod problem i'w gael
"Ein lawnt," meddai Dafydd, "sy'n sobor o wael;
Mae twmpath fan yma a thwmpath fan draw.
Y cythrel wahadden a roes i mi fraw."
Llwynteg* sydd yn bla,
Gwahaddod sy 'na
Yn twrio a chrafu
Drwy'r gaea a'r ha.

Breuddwydio wnaeth Dai fod gwahadden fel cawr
Yn barod i'w herio a'i fwrw i lawr,
Mewn ofan dychrynllyd dihunodd mewn brys
Tu cefen i Delyth yn domen o chwys.
O! druan o'r pâr
Maent wedi cael siâr
O ofid da'r tacle
Sy'n hollol ddi-wâr.

Mae'r ddau o Drewilym‡ mewn gofid yn wir
Os don nhw fel byddin yn groes dros eu tir.
Y dryllie sy'n barod i'w saethu nhw whap
Mae hynny yn rhwyddach na'u dala mewn trap.
Cynllunio mae'r pâr
I'w herlid i'r sgwâr
"Rhaid difa y tacle"
Medd Tom Temple Bar†.

Gan bobol ddeallus daeth cyngor lled dda
Fod peli o gamffor yn gwared y pla,
A stwffio sawl draenen i lwybyr y cnaf
"Wel heno amdani," medd Dafydd, "Mi wnaf!

* Llwynteg – tŷ Dafydd Aeron   ‡ Trewilym – tŷ Gret
† Tom Temple Bar – gŵr Gret

Cael gwared o'r gwalch
A'm gwna i mor falch
Fe roddaf i'm lawntiau
Ddwy dunnell o galch."

Gobeithio, tro nesa pan awn ni am dro
I'r bwthyn bach harddaf a geir yn y fro,
Rôl rhoddi ffarwel i'r wahadden fach ddu
Y dychwel llawenydd a chysur i'r tŷ.
O'r syndod y sydd
Ei chartref yw'r pridd,
Yn ddall ond yn ddiwyd
Mae'n byw ar ei ffydd.

Beti Davies, Talsarn

Mae llunio penillion i dynnu coes ar ôl tro trwstan yn
gyffredin o hyd yng Ngheredigion. Y wraig sy'n cynnal
papur bro Dyffryn Aeron – *Llais Aeron* yw Beti Davies,
Sychbant, Talsarn. Dyma i chi benillion a anfonodd
Beti i Roderick Morgan, Croesmaen, Llanfihangel ar
Arth pan gafodd ei stopio gan blismon a rhoi prawf
anadl iddo wrth yrru adre o dafarn Yr Eryr. Drwy
lwyddo i olrhain achau'r plismon fe gafodd Roderick
Morgan fynd adre heb gosb!

Aeth parchus ŵr un nosweth
I dalu'r weinidogeth
Gan feddwl profi peth o flas
Gwin gras ac iachawdwrieth.

Er cystal ei amcanion
Fe aeth e ar gyfeiliorn,
A diod gryfach na'r hen win
A aeth dros fin y gwron!

Wrth deithio tuag adre'
Gweld gole glas a wnaeth e!
Wrth gael y cwdyn dan 'i drwyn -
Fel brwyn aeth ei benlinie!

Gair bach o gyngor i ti –
Gochela ffrwyth y bragdy
Peth callach fyddai yfed llaeth,
Mae'n well ei faeth na'r whisgi!

Gwell fydd it beidio crwydro
I nyth yr 'Eryr' eto
Arhosa bellach wrth le tân
Dy aelwyd lân i dwymo!

Un gair bach eto i Rosie –
Os bydd ei drâd e'n cosi
Twylla di fe lan y stâr
Fel pâr bach newydd briodi!

Jon Meirion

Cawr o ddyn a brenin ei fro yw Jon Meirion – un y
mae ei gyfraniad i'r pethe yng Ngheredigion yn enfawr.
Croniclodd hanes teulu'r Cilie ac mae ganddo lu o
storïau ffraeth sydd heb ymddangos mewn print. Un
ohonyn nhw yw'r stori am Hettie Jones, Gaerwen
– mam Tydfor. Dyma fel mae John yn adrodd yr hanes:

"Roedd Hettie Jones, Gaerwen yn un o'r cymeriadau mwyaf gwreiddiol a hoffus a welodd ardaloedd de Ceredigion erioed. O dan y swildod cynhenid roedd ffraethineb a hiwmor a roddai hynodrwydd iddi.

Ar ymweliad â'r Gaerwen byddai pawb yn cael croeso mawr, ond hoffai Hettie gadw'r ymwelwyr rhag mynd i mewn i'r tŷ hyd nes iddi olchi'r llawr a gosod y bwrdd gyda bara ffres a chacennau o bob math.

Dyna a ddigwyddodd i'r Parch F M Jones a'i ffrind, Athro yng Ngholeg Aberystwyth. Wedi iddyn nhw gnocio'r drws fe ddaeth Hettie at y drws a gorchymyn, "Arhoswch chi fan 'na nawr gyda'r ieir a'r hwyaid. Cerwch i weld Darbi yn y stabal neu ewch am dro bach i weld y Gaer."

Aeth hanner awr a rhagor heibio. Yn sydyn daeth Hettie i'r drws â mop yn ei llaw, "Popeth yn iawn?"

"Ody, ody, mae digon i'w weld yma," meddai'r Parch F M Jones, gan ddisgwyl cael mynd mewn.

"Na fe," meddai Hettie, "fydda i ddim yn hir 'to. Fe gewch chi ddod miwn mewn cachad!"

§

Bu Jon Meirion yn athro yn Llandudoch am flynyddoedd ac mae ganddo stôr o storïau am y plant. Megis hon:

Un diwrnod roedd e'n ceisio gwneud mathemateg gyda'r plant lleiaf a dysgu iddyn nhw gyfrif.

"Os oes gen i ddau afal, pedair peren ac un oren

– beth sy gen i?"

"Salad ffrwythau, syr!"

§

Stori wir. Roedd ffermwr o ardal Pontgarreg ar y ffôn gyda'r Cop yn archebu bwyd i'r anifeiliaid.

"20 sach o hwn.

10 sach o'r peth arall.

15 sach o fwyd moch."

"Aroswch funud," meddai dyn y Cop, "i arbed amser – oes peiriant ffacs da chi?"

"Nag oes, rwy'n eu rowlio nhw'n hunan."

§

Mae ambell wraig ffraeth ei thafod yn y fro. Fe ffoniodd Mari y plwmwr am fod y tap yn y stafell molchi yn diferu. Fe ddaeth y plwmwr i'r tŷ a gofyn i Mari, "Ble mae'r drip?"

A'r ateb gafodd e oedd, "Mae e lan yn y stafell molchi â'i fys yn y twll!"

§

Dai Tomos, Ffostrasol

Fe fu pentre Ffostrasol fel rhyw fath o Gymru annibynnol ar un adeg gyda Darpar Ymgeiswyr Seneddol Torïaidd yn ffoi am eu bywyd rhag dicter rhai o wragedd y tai cyngor. Yn wir, fedrech chi ddim dweud y gair 'Sais' a 'Ffostrasol' yn yr un anadl, ond fe fentrodd ambell un i blith y brodorion gwyllt:

Hen globyn o Sais o Ffostrasol
Ddamsgenodd ar 'nghorn i'n bwrpasol
"I'm sorry," ebe'r lowt
Gan siarad drwy'i snowt
"No dowt," myntwn inne'n urddasol!

§

Mae hon yn stori wir. Roedd hi'n noson o haf a fy hen
gyfaill, Dai Tomos, wrth y bar yn y dafarn. Fe stopiodd
lori ddodrefn tu allan i'r dafarn a daeth Sais trahaus
i mewn a chyfarch y bechgyn lleol fel petaen nhw'n
perthyn i ryw ddosbarth is o bobl.

"Oes rai ohonoch chi fechgyn eisiau ennill arian,
rwy'n chwilio am ddynion i helpu fi i gario dodrefn."

Ac meddai Dai wrtho, "Mae'n dibynnu p'un ai
symud mewn neu mas o Ffostrasol wyt ti. Os wyt ti'n
symud mas fe wna i fe am ddim i ti, ond os wyt ti'n
symud mewn wna i ddim o fe am fil o bunne!"

§

Mae Dai Tomos yn lluniwr limrigau penigamp. Dyma
un o'i waith pan redodd merch o'r enw Erica Rowe yn
noeth ar y cae rygbi:

Un dydd yn y *Sun* gwelais fodel
A'i bronnau yn hongian yn isel
Ond gwell, gwelais ddo'
Llun Erica Ro,
Roedd rheiny yn cyrraedd ei bogel!

Pan aeth Magi Thatcher i ryfel yn erbyn yr Ariannin ac anfon ei llynges i'r Malfinas roedd Dai wedi ei gorddi ac fe ysgrifennodd:

> Mae llynges John Bull wedi hwylio
> A Magi sydd wrthi'n bytheirio
> A nawr mae'r hen hwch
> Wedi lansio ei chwch,
> Gobeithio yn wir neith hi suddo!

Ond mae e'n gwadu mai fe bia'r limrig hwn yn tynnu coes un o fechgyn y pentre:

> Aeth Gwilym un noson i garu
> 'Da merch o frîd Pacistani
> Canlyniad y cyfan
> Oedd geni tri baban –
> Un du ac un gwyn – ac un *Kakhi!*

Ond fe bia hwn yn sicr:

> Aeth trip Ysgol Sul draw i'r Eidal
> A nawr mae'r blaenoriaid mewn sgandal
> Fe feddwon nhw'r Pôp
> Ar gwrw a dôp
> – Mae'r hanes i gyd yn y *Journal.*

Fe feddwon nhw'r Pôp
Ar gwrw a dôp

Garnon Davies, Ffostrasol

Un o gymeriadau mwyaf lliwgar Ceredigion yw fy
nghymydog Garnon Davies – canwr, digrifwr, Cymro
pybyr, Sosialydd mawr – un o sefydlwyr Gŵyl y Cnapan.

Fe fu Garnon yn ganwr proffesiynol ar un adeg yn
gwneud ei fywoliaeth yn canu ar gylchdaith y clybiau
nos, ac wedyn wrth gwrs yn teithio dros y lle gyda
Bois y Ferwig i ddiddanu. Roedd y bechgyn wedi galw
mewn tafarn yn Nhalybont ar y ffordd nôl o rywle.
Fe ddechreuodd Garnon ganu gyda'r gitar yn y dafarn
a chael tipyn o hwyl. Ar ôl iddo orffen fe roddodd
gwraig y dafarn record newydd Garnon ymlaen i bawb
gael ei chlywed. Fe ddaeth 'na fachan meddw mlaen
at Garnon ac meddai, "Yffarn, roeddet ti'n canu'n
dda – roeddet ti lot yn well na'r boi 'na sy'n canu ar y
record na nawr!"

§

Roedd Garnon yn chwarae rygbi yn y rheng flaen i
Glwb Aberteifi, ac mae 'na stori amdano yn dadlau
gyda'r reff a oedd yn hen gyfaill iddo. Roedd y reff
wedi rhoi cic gosb yn erbyn Garnon am ryw drosedd
yn y sgrym ac meddai Garnon, "O dere mlaen reff!"
Ymateb y reff oedd rhoi cosb arall a dweud yn gadarn
– "Deg llath!" Ond roedd Garnon yn dal i brotestio,
"Dere mlan reff achan, rwyt ti'n sbwylio'r gêm." Dyma
gosb arall "Deg llath, a gwell i ti beidio dadle rhagor,
Garnon, neu fe fyddwn ni'n bennu'r gêm 'ma ar y
traeth yn Gwbert!"

§

Fe fuodd Garnon yn gweithio yn yr RAE yn
Aberporth, sefydliad a oedd yn cyflogi llawer iawn o
grefftwyr yr ardal ar un adeg. Roedd llawer o dynnu
coes yn yr RAE a Garnon, am ei fod yn tynnu coes
pawb arall, yn ei chael hi nôl yn aml. Fe gyrhaeddodd
y tynnu coes ei anterth pan brynodd Garnon fotor
beic a mynd â'r motor beic i'r gwaith y diwrnod cyntaf.
Doedd e ddim am i neb ei weld e am ei fod e'n fawr
a'r beic yn fach. "Roeddwn i'n edrych fel eliffant ar
ben gwningen," yn ôl Garnon ei hun. Fe arhosodd
Garnon ar ôl a gadael i bawb fynd adre o'i flaen yn lle
bod neb yn ei weld e. Fe arhosodd e am bum munud
er mwyn i bawb fynd, ond wrth iddo ddod allan o gefn
yr adeiladau a gyrru rownd y gornel tuag at y bwlch
fe welodd fod pawb wedi casglu yn y glwyd. Bu'n
rhaid iddo yrru drwy tua dau gant o'i gydweithwyr a
rheiny'n curo dwylo ac yn gweiddi "Hwre!" Roedd un
ohonyn nhw gyda baner sgwariau du a gwyn, fel mewn
rasys ceir, yn chwifio wrth iddo yrru'r motor beic bach,
bach allan drwy'r glwyd!

§

Gan fod cymaint o weithwyr ar safle'r RAE roedd
toiledau anferth yno, ac un tro roedd Garnon yn
eistedd yn y toiled yn siarad ag un o'i gydweithwyr
oedd yn y blwch drws nesaf. Gan ei fod yn gwybod fod
Garnon yn ganwr roedd e'n ymffrostio wrth Garnon
am gampau canu ei fab. Roedd y sgwrs yn mynd

rhywbeth fel hyn (cystal esbonio fod y dyn ychydig yn
rhwym ac yn cael trafferth i wneud ei fusnes!):

"Mae'r mab wedi ennill llawer yn ddiweddar O! O!"

"Da iawn ti, ble mae e'n cystadlu nesaf?"

"Eisteddfod Bont. O! O!"

"Beth yw'r darn mae e'n 'i ddysgu ar gyfer steddfod
y Bont?"

"Arafa Don O! O! O !O! O!"

"Bachan – 'na bishyn caled!"

§

Mae Garnon yn limrigwr – dyma un o'i limrigau
mwyaf parchus!

> Roedd menyw yn byw ym Maenclochog
> Yn ddeugain fe aeth hi yn feichiog,
> Y gŵr aeth yn gas
> Pan ffindodd e mas
> Mai John Jones y gwas oedd y ceiliog.

§

Gggggggggggggggriffiths y Glo

Bu teulu Griffiths y Glo, Aberystwyth – y tri brawd
– yn gymwynaswyr mawr i'r iaith Gymraeg. Mae'r
Cardi wrth ei fodd yn gwneud campau â geiriau megis
cystadleuaeth y frawddeg ar yr un llythyren a dyma
lythyr a gafodd y teulu Griffiths oddi wrth hen gyfaill
yn gofyn am lo :

Gûr geisia gymwynas gyda gwerthwr glo
Garedig gyfaill,
Gûr gweddol gwla geisia gennych gymwynas. Golygaf
gael glo gwmpas Galangaeaf. Gobeithio gwnewch gofio.

Golyga gûr gwanllyd gael glo gwresog gynhesa
gronglwyd glyd. Glo gall gwragedd grwgnachlyd grasu
gwlanenni gyda gwynebau graslawn.

Gwrthodwn gymeryd glo gwreichionllyd godir gyda
glowyr gwythiennau gwael. Gall gwreichionen gychwyn
galanastra grea golledion gresynus. Gallasai gwisgoedd
gwerthfawr grasu'n goelcerth. Golygfa gywilyddus,
gwelsoch gyffelyb ganwaith.

Glo gore Glyncorrwg garwn gael, gweddol glapiog,
glyma gyda'i gilydd. Gwybyddaf golyga'r gost gymaint
gynwysa'r god, gyda gweddill. Gobeithiaf gyda gofal
grafu'r gweddill. Gall gûr gweddol gybyddlyd gynilo'n
gyflym.

Gwiriaf gyfaill, gwnaf geisio gyrru'r gweddill gwedi'r
gwyliau.

Gorffennaf gyda'r gobaith gwenewch ganiatáu'r
gymwynas geisiaf. Gyrrwch gwdeidiau gorlawn gynted
gallwch, gan gwbl gredu gwnewch ganiatáu gostyngiad
gweddus – gwedwch goron!

CYFRES TI'N JOCAN

hiwmor
DAI JONES

Llond bol o chwerthin gyda straeon, troeon trwstan ac
atgofion doniol y ffarmwr enwog o Lanilar, a helyntion
a ffraethineb y Cardis i straeon anffodus wrth iddo
ffilmio'r gyfres *Cefn Gwlad.*

£3.95

ISBN: 0 86243 845 4